Is beag leabhar léirmheastóireachta atá scríofa fós ar litríocht na Nua-Ghaeilge. Cuimhnímid ar *The Hidden Ireland* a ndeachaigh a théis i gcion go mór. Téis ag Mac Grianna freisin, rud le rá aige nach ndúradh roimhe sin, é chomh díocasach céanna chuige agus a bhí an Corcorach—agus gan é ag aontú leis in áiteanna.

Aiste fhada ar Phádraic Ó Conaire a thugann a theideal don leabhar. Déanann an t-údar léirmheas ar shaothar Uí Chonaire agus cuireann sé síos go grinndearcach ar a thréithe mar scríbhneoir agus mar dhuine. Le Cúige Uladh a bhaineann an chuid eile den leabhar. Seasann Mac Grianna ceart d'fhilí an tuaiscirt, agus má tá glactha leis an méid a deir sé fúthu, ní cóir dearmad a dhéanamh gurb é is treise a chuir a mbuanna os ár gcomhair.

SEOSAMH MAC GRIANNA

[*le caoinchead Dhonn Piatt*

PÁDRAIC Ó CONAIRE

agus aistí eile

SEOSAMH MAC GRIANNA

Oifig An tSoláthair
Baile Átha Cliath

Le ceannach díreach ón Oifig Dhíolta
Foilseachán Rialtais, An Stuara,
Ard-Oifig an Phoist, Baile Átha Cliath 1
nó ó dhíoltóirí leabhar.

An Chéad Chló 1936
Athchló 1939
Eagrán Nua 1969

DIARMUID T. SHIEL *a dhear an clúdach.*

Clóchuallacht Chathail, Teoranta, Baile Átha Cliath

CLÁR

MIONSCÉALTA

SÉAMAS MAC MURCHAIDH

PÁDRAIC Ó CONAIRE

PÁDRAIC Ó CONAIRE

1. *Mo Chomaoin*

Bhí mé naoi mbliana déag nuair a léigh mé *An Chéad Chloch,* agus ba sin an chéad leabhar de chuid Phádraic Uí Chonaire a casadh orm. Bhí sé tuigthe agam an t-am sin gur dhual dom féin leabhair a scríobh. Bhí a lán píosaí beaga scríofa agam ó bhí mé ceithre bliana déag; ach má bhí, ní fá choinne a gcur gos ard. Bheadh sé chomh hamaideach ag duine suim a chur sna chéad aistí a scríobhfadh ábhar scríbhneora agus a bheadh sé aige éisteacht leis na chéad iarrachtaí bacacha a bhéarfadh ábhar fidiléara ar phort a bhualadh. Ní thig a cheird chun an tsaoil le duine ar bith.

Ach murarbh fhiú mórán mo chuid scríbhneoireachta an t-am sin, b'fhiú a lán mo chuid seanchais agus léitheoireachta. Chuala mé measarthacht de bhéaloideas na Gaeilge, agus léigh mé a lán leabhar Béarla. Níorbh fhíor dom é dá n-abrainn go raibh a oiread de litríocht na Gaeilge i mo thimpeall agus a bhí i dtimpeall mo leithéide an glún a tháinig romham. Chuala mé, ar ndóigh:

B'aoibhinn teacht féir agus fonn
Agus tormán na dtonn le Lios na Sí.

Agus bhí a fhios agam gurbh fhilíocht é. Ach ní chuala mé go leor den chineál sin. Ní chuala mé an chuid ab fhearr de na hamhráin ach a oiread. Is é an fáth a bhí leis sin, an béaloideas a bheith ag fáil bháis; agus is é an chuid is fearr de bhéaloideas nó de theanga a fhaigheas bás ar tús. Bhí an litríocht ag briseadh agus ag meilt; ní raibh ag formhór na ndaoine ach giotaí de na laoithe agus de na hamhráin agus de na scéalta. Bhí corrdhuine a raibh siad go hiomlán aige, dálta mar bhíos corrchrann glas i gcoill a bhíos ag feo. Ach bhí na Gaeil ag cailleadh an bhéaloidis.

Níl bás teanga nádúrtha; tá sé cosúil le duine ag tabhairt aníde dó féin. Bhí na Gaeil ag smaoineamh go mb'fhearr glacadh leis an Bhéarla; agus thosaigh siad a thabhairt aníde don Ghaeilge. Thosaigh siad a dhéanamh dearmad den oideachas. Nuair a bheadh sin déanta acu thosódh siad a dhéanamh dearmad den chuid a ba neartmhaire agus a ba shaibhre de na focail. Ní hé an neart a bhí siad a iarraidh ach an laige. Ní thug siad iarraidh an teanga a mharú le aon bhuille amháin. Níorbh fhéidir sin a dhéanamh: bhí sí na mílte bliain ag fás. Chaithfeadh a trí nó a ceathair de ghlúine amadán a theacht, gach aon ghlún acu ní b'amaidí ná an glún roimhe sin, sula mbeadh an Ghaeilge marbh. Nuair a thiocfadh glún a bheadh chomh hamaideach le trompa gan teanga, b'fhurast a dhul i gceann an Bhéarla.

Ba sin an fáth a raibh cuid den litríocht ab uaisle sa Ghaeilge ceilte ormsa, go dtí gur léigh mé i leabhair í. Ba bheag mo mheas ar litríocht na Gaeilge nuair a bhí mé naoi mbliana déag. B'fhearr liom litríocht an Bhéarla. Ba é an chuma a bhí orm gur i mBéarla a bhí sé i ndán dom scríobh. Nuair a bhí mé ceithre bliana déag scríobh mé scéal i mBéarla faoin Chogadh Mhór, scéal a raibh tuairim ar 7,000 focal ann. Ba mhaith liom é a fheiceáil anois; ach ní luaithe a bhí sé scríofa agam ná dhóigh mé é. Bunús ar scríobh mé ón am sin go raibh mé naoi mbliana déag, ba i mBéarla a scríobh mé é. Ach ansin casadh an *An Chéad Chloch* orm.

Agus nuair a léigh mé an leabhar seo stad mé de chur focal Béarla le ceol m'aigne. Chreid mé go mb'fhéidir litríocht uasal fhiliúnta a scríobh i nGaeilge. Bhí blas ar an leabhar agam mar bheadh blas ar fhíon ag an té nach raibh a fhios aige go dtí sin go raibh ar an tsaol ach uisce.

Is iomaí Gael a léigh leabhair Phádraic chomh maith liomsa agus, má d'fhág sé an lorg céanna ar a n-intinn, ba mhillteanach an obair é. Inseoidh an leabhar seo go hiomlán cad é an mhaith a rinne sé domsa leabhair Phádraic a léamh, agus Pádraic é féin a fheiceáil agus labhairt leis, agus a iomrá a chluinstin ó dhaoine ar fud na hÉireann. Níl mé ag insint a shaoil ó bhliain go bliain agus ó lá go lá; má tá aon duine a dtig leis sin a dhéanamh, déanadh sé é. Tá mé ag insint cad é an bharúil atá agam de mar Ghael agus mar fhile, agus mar dhuine den chine achrannach dhaonna.

2. *Dúchas Phádraic*

Rugadh Pádraic i mbaile mór na Gaillimhe, ach ba as Conamara a mhuintir, agus ba as Conamara a dhúchas. Bhí Gaeilge ag muintir na Gaillimhe uilig, creidim, tá leathchéad bliain ó shin. Ar scor ar bith, níor chaith Pádraic ach aon bhliain déag ar an bhaile mhór. Chuaigh sé siar ansin go teach a athara móir i Ros Muc.

Sula dtuige duine a chuid scéalta, is éigean dó eolas a bheith ar Chonamara aige. Ní hionann an Ghaeltacht sin agus Gaeltacht ar bith eile in Éirinn. Go dearfa, tá trí chineál Gaeltacht in Éirinn. Tá na daoine i nGaeltacht Thír Chonaill dícheallach ag obair; tá siad fosta borb bródúil. D'fhéadfá an rud céanna a rá le Contae an Chláir. Tá dream dóibh féin i nGaeltacht Chúige Mumhan: daoine dána, a bhfuil seithe dhlúth orthu, agus a ní a mbealach sa tsaol, agus nach gcuireann sé mórán buartha orthu má bhíonn níos mó de rath orthu ná a thabhaigh siad. Ó thuaidh, tá na Gaeil séimh má bhíonn tú séimh leo, agus garbh má bhíonn tú garbh leo. Ó dheas, níl siad mín nó garbh ach tá cumhdach úsáideach gearach ar an intinn acu. Ach d'fhéadfá a rá go bhfuil Gaeil Chonamara séimh dáiríre.

Deir an seanfhocal go bhfuil an Connachtach béal-bhinn, agus ní bhréagnóidh duine dearcach é. Ní díobh-áil uchtaigh atá air, acu gur fearr leis an iaróg a fhágáil ina codladh má mheasann sé nach fiú a muscailt. Ach tá dóigheanna eile le muintir Chonamara diomaoite de sin. Tá drabhlás áirithe iontu nach bhfuil i nGaeltacht ar bith eile. Tá níos lú den chreideamh chruaidh nimhneach seo iontu atá fairsing in Éirinn. Tá siad cosúil le dream daoine a ndéanfadh a sinsir margadh leis an diabhal, agus a ngeallfadh siad dó nach mbeadh siad róchruaidh air, agus a ngeallfadh seisean dóibhsean nach mbeadh sé róchruaidh orthu. Bhéarfadh siad na Francaigh i do cheann, claon. Tá sé tuigthe acu gur fearr an daonnacht ná an naofacht.

Níl dóigh ar bith ab fhearr a dtuigfeá an difear atá idir na trí Ghaeltacht ná éisteacht le fear as Tír Chonaill agus le fear as Conamara agus le fear as Ciarraí ag insint scéil. Beidh scéal an Ultaigh faobhrach, agus beidh sé soiléir céillí ó thús deireadh. Inseoidh fear Chonamara scéal lena chroí agus lena chorp, agus beidh fuinneadh gaoithe sa scéal sin agus beidh tormán gáirí ann mar bheadh ag scaifte a dhéanfadh dearmad den tsaol. Inseoidh an Muimhneach scéal nach bhfuil aon chuid mhór brí ann, agus scéal b'fhéidir nach dtuigeann aon duine ach é féin, agus is cuma leis mura dtuige an dara duine ach é féin é. Ní fear scéalaíochta an Muimhneach ach fear gníomhartha, rud nár admhaigh aon duine go dtí seo. D'fhéadfá an chéad scéal a scríobh gan athrú ar bith a chur air; mhillfeá an dara scéal dá scríobhfá é; níorbh fhiú go minic an tríú scéal a scríobh.

Dúirt mé go millfeá an scéal Connachtach dá scríobhfá é. Ach níl sin fíor go hiomlán; dá mbeifeá i do scéalaí mhór d'fhéadfá é a scríobh. Ba sin an bhua a bhí ag Pádraic Ó Conaire, gur scríobh sé na scéalta Connachtacha sin agus nár mhill sé iad.

Tá níos lú de ghreim ar mhaoin an tsaoil ag muintir Chonamara ná tá ag Gaeil ar bith eile. Bíonn cuid acu saibhir, ach ní bhíonn mórán acu seascair. Tháinig Pádraic ó dhaoine a raibh measarthacht saibhris acu; ach nuair a chuaigh sé a dhéanamh as dó féin ní raibh sé i bhfad seascair.

Tá séala an rathúnais ar tógadh leis é, tá sin ar a chuid scríbhneoireachta. Agus rud beag eile de, tá séala an bhaile mhóir ar a chuid scríbhneoireachta. Bíonn páiste baile mhóir dána. Tá an dánacht sin i gcuid scéalta Phádraic. Is furast a aithint air gur duine a bhí ann arbh fhurast leis aithne a fháil ar dhaoine. Ní daoine atá ina gcónaí i bhfad ó chéile agus a bheannaíos an t-am de lá dá chéile ar an bhealach mhór agus a ní a gcomhrá agus a imíos leo—ní sin an sórt daoine atá ina chuid scéalta, ach daoine atá cóngarach dá chéile agus atí a chéile isteach go doimhneacht an chroí.

Ba sin a dhúchas; Conamara agus cathair na Gaillimhe. Agus loit gach aon cheann acu an ceann eile. An té a thógtar i mbaile mhór, ní bhíonn seanchas a shinsir leis chomh hiomlán leis an té a thógtar sa tír. Aon teaghlach amháin muintir an bhaile mhóir, mura bhfuil siad dáimhiúil féin le chéile. Agus de thairbhe an bhaile mhóir, agus de thairbhe an rathúnais a d'fhág na leabhair faoin láimh aige, ní raibh béaloideas na Gaeilge ag Pádraic. D'fhág sin dreach eile ar a chuid scéalta.

3. *Oiliúint Phádraic*

Tugadh scoil agus léann do Phádraic. Bhí sé cliste, ar ndóigh, agus creidim go raibh a mhuintir ag dúil go ndéanfadh siad fear mór de. Cá bhfuil an fear cliste nach ndearna a mhuintir an éagóir chéanna air? Síleann daoine gur leo féin anam agus intinn a gclainne, agus sin an tseilbh amháin nach dual do dhuine a bheith aige ar a mhac ná ar a iníon. Beidh an t-athair agus an mháthair ag smaoineamh ar an aineolas a chaill iad féin fiche uair ina saol. B'fhéidir go bhfuair siad léann maith, ach athraíonn léann leis na blianta, agus fuair siad iad féin aineolach ar fhiche dóigh, agus dar leo go dtabharfadh siad oideachas dá gclann nach mbeadh locht le fáil air. Agus bhí an t-ádh ar an chlann murar cuireadh chun donais iad dá gceart míle ainneoin. Níl tír ar bith is mó a bhfuil an cineál sin sainte inti ná Éire. Nó níl tír ar bith is dáighe daoine, nó tír ar bith is lú a bhfuil tuiscint ag daoine inti ar an bhrí atá le léann, ná Éire.

Rinne sé dochar do Phádraic a chur chun coláiste; ach, ina dhiaidh sin, bhí sé riachtanach aige. Féadann tú a bheith cinnte gur gasúr a bhí ann a raibh tabhairt faoi deara ann, agus a bhí maith ag foghlaim an tsaoil. Tá sé contúirteach a leithéid sin a chur i bpríosún i gcoláiste. Is éard atá tú ag ceilt léinn air in áit a bheith á thabhairt dó. Ach, san am chéanna, tá tamall i gcoláiste a dhíth ar scríbhneoir, agus ar gach aon fhear eile.

Is fiú tamall saighdiúireachta a dhéanamh in arm an

léinn. Má tá eagna chinn agat tuigfidh tú gur beag is fiú an léann, agus tuigfidh tú níos moille ná sin sa tsaol gur fiú rud beag é, dá olcas é. Is mó an tairbhe a bhainfeas tú as an tsaol nuair atá smaointe i do cheann ag dul i dtús d'aistir duit. Má théid tú go hAlmhain Laighean agus laoi Fiannaíochta i do cheann, cuirfidh sé a smaoineamh thú, cé gur éagosúil an cnoc le dún Fhinn. Ach má théid tú ansin agus do cheann folamh, is éadóigh tú iontas ar bith a dhéanamh den chnoc.

Ba le leas Phádraic an léann, agus ba lena aimhleas fosta é. Tá coláistí na hÉireann níos cadránta ná a shamhailtear. Agus, lena chois sin, tá bábhún dímheasa idir an té a théid chun coláiste agus an té nach dtéid. Ní raibh cead ag Pádraic a chaidreamh a dhéanamh le daoine coitianta Chonamara, dá mba mhian leis a dhéanamh. Bhí a bhunadh agus lucht coláistí na hÉireann agus lucht coiléar geal na hÉireann uilig á chrosadh sin air. Agus, ar ndóigh, níor mhó a bhí a bhia agus a leaba a dhíth ar Phádraic ná caidreamh le daoine. Ní tháinig aon scríbhneoir i gcrann riamh gan caidreamh le daoine, agus le daoine nach bhfuil anchuma curtha ar an aigne acu ag beatha mhínádúrtha. Nuair a chuaigh Pádraic amach ar fud an tsaoil d'ól sé; agus ba é an coláiste an chéad rud a chuir ar bhealach an óil é. Déarfaidh daoine, creidim, nach ndearna coláistí pótairí de mhórán fear. Is amhlaidh; ach níor scríobh mórán fear leabhar mar *An Chéad Chloch*.

Rud eile de, bhí na coláistí gallda. Nuair a bhí Pádraic ag éirí aníos ina ghlas-stócach ní raibh oideachas Gaelach ar bith le fáil i scoileanna na hÉireann. Ní raibh Conradh na Gaeilge ach ina thús san am. B'fhada an lá gur tugadh ar na hollscoileanna a thabhairt faoi deara go raibh Gaeilge in Éirinn. Ba nimhneach an rud sin ar ghasúr a rinne comhrá agus áirneál fá chladaigh

Ros Muc. Dá dtéadh sé chun an Domhain Thoir bheadh sé in áit ní ba thíorthúla ná a bhí aige i measc na nGall-Ghael. Dream corrach an dream a chailleas a dteanga dhúchais. Níorbh fhéidir dóibh gan loit a dhéanamh do Phádraic, agus tuilleadh cathuithe a chur air a dhul i gceann an óil.

Ach nach cuma faoin ól? Ólann iascairí agus oibrithe de ghnáth. Ólann bunús gach aon duine a bhfuil obair chruaidh le déanamh aige. Ólann formhór na hÉireann ar mhaithe le cuideachta, nó an saol atá in Éirinn le fada againn níl sé fairsing go leor ag an aigne: tá uaigneas intleachta ann. Rud beag eile de, níl sé de ghnás againn ár sáith bia a ithe, agus tá an tart agus an t-ocras gaolmhar dá chéile.

Fásaidh filí ar dhá dhóigh. Bíonn siad, ar ndóigh, níos goilliúnaí ná an duine coitianta ag teacht chun an tsaoil dóibh. Ach ní hionann sin agus a rá go dtig fear chun an tsaoil ina fhile. Is iomaí fear goilliúnach a chaith a shaol gan filíocht ar bith a dhéanamh; is iomaí reilig a bhfuil corp ina luí inti nach dtáinig i méadaíocht riamh. Tig fear goilliúnach chun an tsaoil, agus nuair a thig ann dó téid sé amach tríd na daoine. Cruafar leis an tsaol é; tiocfaidh cranraí air; táthfaidh a chuid gortaíocha. Ach, más dual dó a bheith ina fhile, tiocfaidh lá air a mothóidh sé pian an tsaoil arís, agus scairtfidh sé go hard. Imeoidh an cruas de réir a chéile ansin, agus smaoineoidh sé agus cruinneoidh sé léann, agus is é a shaol féin an leabhar a léifeas sé. Ach tá cinéal eile file ann: fear a fhaigheas filíocht as a óige, fear a mhaireas goilliúnach ó thús deireadh, agus a théid i measc daoine agus é ag breathnú uaidh orthu, in áit a bheith ag breathnú air féin ina measc.

Ba sin an sórt file a bhí i bPádraig. Níor tógadh eisean mar tógadh bochta Chonamara. Níorbh éigean dó a bheith ag iascaireacht nó ag briseadh chloch lena bheatha a thabhairt i dtír. Ina dhiaidh sin, an chéad scéal a scríobh sé, ba ar fhear a bhí beo ar iascaireacht agus ar bhriseadh cloch a bhí sé ag trácht. Ba é sin an scéal darbh ainm *Páidín Mháire*, a fuair duais an Oireachtais sa bhliain 1904.

Is furast a aithne ar an scéal sin gurbh é saol Chonamara a spreag an t-údar lena insint. Scéal fíorbhrónach é; agus sin cruthú ann féin gur ag breathnú ar bhriseadh na gcloch a bhí an t-údar. Dá mbíodh sé féin ag briseadh na gcloch ní ligfeadh an eagla dó bheith brónach. Ní bhíonn an fear atá i gcontúirt brónach. Agus, fosta, dá scríobhadh fear bhriste cloch scéal, ba dóiche an té a bhí sa scéal éirí saibhir agus sona i ndeireadh an scéil. Ach bhí Pádraic ag breathnú ar na fir ag briseadh na gcloch, agus smaoinigh sé ar an urchar ag imeacht agus ag baint na súl as an fhear óg, agus é ag dul go Teach na mBocht dá thairbhe—ag dul isteach i bpríosún chúng fhuar, an fear fiáin ceanndána sin de Mhuintir Chonaola a raibh gaol aige do na rónta.

As cruatan agus as anró agus as contúirt a thig an greann agus an gáire agus an dóchas mór, agus nach cuma mura bhfuil ciall leis an dóchas. Agus an té atí daoine i gcruatan agus in anró agus i gcontúirt taobh amuigh den fhuinneog aige, cuireann siad brón air agus goilleann a bpian air níos mó ná a ghoilleann sí orthu féin.

Bhí Pádraic ag amharc ar chruatan an tsaoil, agus bhí an chuid a ba mheasa den mhargadh aige. Bhí sé ag fulaingt chuid péine an domhain mhóir; bhí sé ag iompar an domhain mhóir ar a ghuailleacha. Níorbh ionadh gan é a bheith saolach. Bhí an toirtín mór is an mhallacht aige.

B

Nuair a bhí sé réidh le Coláiste na Carraige Duibhe fuair sé post sa státseirbhís i Londain. Ba sin páirt dá oiliúint, ar ndóigh, agus páirt mhór. Níl i mBaile Átha Cliath ach foirgneamh beag tithe le taobh chathair Londain: ní raibh an Charraig Dhubh fá mhílte do Bhaile Átha Cliath an t-am sin. Níor mhór an t-eolas a thiocfadh le gasúr coláiste a fháil ar Bhaile Átha Cliath, dá mbíodh sé i lár na cathrach féin. Féadann tú a rá go ndeachaigh sé díreach as Ros Muc go Londain.

An té a sheasaigh ar an Chamas le luí gréine, agus a bhreathnaigh an sliabh dorcha agus na lochanna ciúine agus ladhra casta Chuan na Gaillimhe, tuigeann sé cad é an sómás agus an tsíocháin is féidir a bheith ar an tsaol seo. Agus an té a chuaigh tríd Londain—tríd na sráideanna caola atá slugtha thíos idir na tithe móra a bhfuil na fuinneoga chomh tiubh iontu le mogaill in eangach, tríd charranna a shiúlas mar bheadh saighde ann agus nach miste leo a dhul i do mhullach, tríd bhlár chloch agus brící nach léir do do shúil nó do do shamhail a ndeireadh, trí thoir agus cheo a bheir dúshlán ghrian na glóire, tríd dhaoine tanaí gruama tostacha nach bhfuil feoil nó fuil ar a gcnámha nó machnamh ina n-intinn—an té a chonaic an abhainn mhór a raibh uisce seal inti agus dealramh ar a hucht; an té a chonaic í agus í ramhar le salachar agus báid gharbha dhubha challánacha á rúisceadh agus túir ghránna ina seasamh ar a bruacha; an té a chonaic ansmacht an tsaibhris agus daoirseacht na ndaoine; an té a chonaic urraim an dlí agus faillí an dúchais; an té a chonaic adhradh na ngníomhartha agus dímheas na hintinne a chuireas maise ar an ghníomh; an té a bhí i Londain—le scéal fada a dhéanamh gairid—tuigeann sé an buaireamh intinne nach socraíonn go socraí féar na huaighe é. Chuaigh Pádraic Ó Conaire as an Chamas, nó as áit a bhí cóngarach dó, go Londain. Chuaigh sé as an ionad a ba mhó suaimhneas go dtí an t-ionad a ba mhó achrann.

Ní thiocfadh leis an athrú sin gan a bheith nimhneach, cé go raibh an stócach folláin agus go raibh a lán iontas le feiceáil aige. Tá trácht ar an athrú sin i *Nóra Mharcais Bhig,* agus is leor é le scéal duine ar bith a tháinig ón tír chun na cathrach a aithris. D'fhág Nóra Mharcais Bhig Conamara agus chuaigh sí go Londain, agus seo mar a bogadh a croí agus a hintinn ar an bhealach:

" Ina suí sa traen di ghabh iontas mór í faoi rá is go raibh abhainn agus inbhear, loch, sliabh agus machaire ag sciorradh thairsti agus gan aon ní á dhéanamh aici féin. Cá rabhadar uile go léir ag dul uaithi? Cén saol a bhí i ndán di sa tír choimhthígh údan ina bhfágfadh an gléas iontach iompair seo í? Ghlac uamhan agus crith-eagla í. Bhí an doircheacht ag titim ar mhachaire agus ar chnoc. Coisceadh ar na smaointe uirthi, ach b'fhacthas di go raibh sí ag marcaíocht ar ainmhí éigin allta. Go gcuala sí a chroí ag preabadh agus ag léimnigh fúithi le teann feirge. Go raibh sé ina dhragan tine agus lasair ag teacht óna shúile. Go raibh sé á tabhairt go fásach éigin uafásach—áit nach raibh taitneamh gréine nó titim uisce. Go raibh uirthi a dhul ann in aghaidh a tolach. Go raibh sí á díbirt go dtí an fásach seo i ngeall ar aon pheacadh amháin . . .

" Shroich an traen Baile Átha Cliath. Cheap sí go raibh an áit fré chéile in aon gheoin amháin torainn. Fir ag screadaíl agus ag béicigh. Traenacha ag teacht agus ag imeacht agus ag feadaíl. Torann na bhfear, na dtraenach, agus na gcarr. Chuir gach ní dá bhfaca sí ionadh uirthi. Na báid agus na loingis ar an Life. Na droichid. Na sráideanna a bhí soilseach sa mheán oíche. Na daoine. An chathair féin a bhí chomh breá, chomh beoga, chomh geal sin in uair mharbh na hoíche. Is beag nár dhearmad sí feadh scaithimh bhig an mí-ádh a dhíbir as a baile dúchais í."

Má bhí Baile Átha Cliath mar sin ag Nórainn, nár mhíle measa Londain ag Pádraic. Ach ní mhaireann an phian sin i bhfad. Bhí Gaeil go leor i Londain. Bhí, agus corrdhuine filiúnta, croíscaoilte ann a bhí in aice lena thoil. Ansin bhí daoine as gach cearn den domhan mhór ina thimpeall. Bhí siad bocht agus saibhir ann, agus ba bheag ab fhiú an t-anró a bhí i Ros Muc le taobh an anró a bhí ansin. Thuig Pádraic go raibh tíortha eile ann diomaoite d'Éirinn. Tá a shéala sin ar a chuid scéalta; ní raibh aon scríbhneoir Gaeilge lenár linn ann a dtiocfadh a rá leis go raibh sé idirnáisiúnta ach é féin.

4. *Ag Foghlaim a Cheirde*

I dtrátha an ama ar fhág Pádraic Ó Conaire Conamara, chuaigh Pádraig eile siar chun an cheantair sin, mar a bhí Pádraig Mac Piarais. Ní raibh sé mórán ní ba sine ná an Pádraig thiar: ba d'aon ghlún amháin daoine iad ar scor ar bith. Ach b'éagosúil le chéile ar gach uile dhóigh iad. Tógadh Pádraig Mac Piarais i mBaile Átha Cliath. Mac Sasanaigh a bhí ann. Tógadh le Béarla é. Chuaigh sé go Conamara de gheall ar an dlaíóg mhullaigh a chur ar a chuid oideachais.

Ní rachadh, ach gurb é Conradh na Gaeilge. Agus tá sé ar shlí a ráite anseo nach scríobhfadh Pádraic Ó Conaire scéalta Gaeilge ach gurb é Conradh na Gaeilge. Táimid cinnte, nó chóir a bheith cinnte, den dá rud. Anois creidim go síleann an dream atá óg anois go dtuigeann siad Conradh na Gaeilge; ach ní thuigeann.

An Conradh atá anois ann, tá sé ar shéala a bheith marbh. An Conradh a bhí an t-am sin ann, bhí air daoine chomh mór agus a bhí sa tír riamh. Bhí siad ag cur naoi nó deich de mhílte punt tríd a lámha gach aon bhliain. Bhí *An Claidheamh Solais* ar an pháipéar ab éifeachtaí dá chineál lena linn, nó roimhe nó ina dhiaidh. B'fhéidir gurbh annamh a bhí a leithéid de fhaobhar ar na daoine, i dtír ar bith, fá choinne oideachais náisiúnta agus a bhí an t-am sin. Má b'fhíorbheag an toradh a bhí air, ní díobháil cuidithe a bhí ar an Chonradh. Níorbh é ganntanas fear a chaill é, ach ganntanas smaointe, an rud a chaill fiche cath in Éirinn ó Chionn tSáile anall, agus b'fhéidir a chaill Cionn tSáile. Tá na hÉireannaigh tugtha don aon bharúil.

Bhí sé óg an t-am úd, ar scor ar bith, agus gan aon duine ag samhailt go dtitfeadh sé. Bhí sé ag breith ar intinn óig ar bith a raibh measarthacht den dúchas Ghaelach inti. Dá thairbhe sin chuaigh an Piarsach go Conamara go gcuireadh sé creat ar an Ghaeilge a d'fhoghlaim sé i gcoláistí Bhaile Átha Cliath. Casadh saol ansin air a bhí chomh hiontach aige leis an tsaol a casadh ar Phádraic Ó Conaire i Londain.

Ní dóigh gur casadh an dá Phádraig ar a chéile an t-am sin; ach casadh a ndá intinn ar a chéile gan mhoill, agus i bhfad ina dhiaidh sin rinne Pádraig Mac Piarais gníomh a spreag Pádraic Ó Conaire lena dhíchéall féin a dhéanamh. An chéad uair a casadh dh'aontaobh iad, ba é an uair a thosaigh an cogadh idir an tseandóigh agus an dóigh úr le scéalta a insint é.

Ba ar an Phiarsach a bhí an t-iomrá uilig sa chogadh sin; ach, leis an cheart a dhéanamh, bhí an Pádraig eile sa chuibhreann roimhe. Scríobh sé *Páidín Mháire* roimh Lúnasa, 1904, agus *An Scoláire Bocht* i 1904, agus scríobh sé *Nóra Mharcais Bhig* roimh Lúnasa, 1906.

Cinnte go leor, bhí tús ag an Phiarsach air i bprionta. Cuireadh *Íosagán* i bprionta ar *An Chlaidheamh Solais* i mí na Samhna, 1906, agus *Nóra Mharcais Bhig* i mí Eanáir, 1907. D'fhógair an bheirt comhrac i gcuideachta, féadann tú a rá. Ach dearc air seo: ba é an Piarsach a fuair an t-achasán uilig. Tháinig eagla ar na cainteoirí dúchais, ar an Dr. de Hindeberg ar scor ar bith, go millfeadh sé an Ghaeilge.

Anois, ní raibh baol ar bith ar an Ghaeilge de thairbhe an Phiarsaigh, nó bhí sí aige chomh maith agus go dtiocfadh leis litríocht a scríobh inti. Agus ní dóigh liom gur thuig an Dr. de Hindeberg an cheist de thaobh na litríochta de. Bhí an sean-nós ina shean-nós ar ndóigh, ach níor nós gan aithne an nós úr ach a oiread. Bhí an nós úr i dtíortha go leor eile ar fud an domhain, agus bhí sé i mórán de theangacha an domhain, agus i mBéarla mar cheann. Bhí an dá nós cruthaithe: thiocfadh litríocht a scríobh i gceachtar acu. Ba é an sean-nós rogha an scoláire; ach ba é an nós a bhí cóngarach dó an nós ab fhearr leis an scríbhneoir a bhí ag teacht i gcrann.

Ar an ábhar sin ní raibh an ceart ag an Dr. de Hindeberg. Bhí trí eagla air. Bhí eagla air nach léifeadh scríbhneoirí na Gaeilge an tseanlitríocht dhúchasach, agus gur as úir Shasanach a d'fhásfadh a mbarr, agus, ar ndóigh, ba mhairg dá bhfásfadh. Bhí eagla air go millfeadh siad ráite agus binneas na Gaeilge, agus, ar ndóigh, ba mhairg dá ndéanfadh. Bhí eagla air, fosta, gur tochladh intinn an duine ní ba doimhne ar na saolta deireanacha ná a rinneadh sa tsean-am, agus go gcumfaí Gaeilge mhaide leis na smaointe úra a nochtadh. B'amaideach an eagla í sin. Ba doimhne Plato ná Shaw. Agus níl teanga ar bith nach gur maith an Ghaeilge le haghaidh smaoineamh domhain a chur gos ard.

D'ionsaigh an Dr. de Hindeberg na lochtanna a bhí ar *Íosagán,* agus shíl sé gurbh iad na lochtanna a bhí ar an nós úr a bhí sé a ionsaí; ach níorbh iad. Dúirt sé:

> *"If Irish Literature is the talk of big broad-chested men, this is the frivolous petulancy of latter-day English genre scribblers, and the wit is as the mincing of an under-assistant floor-walker of a millinery shop."*

Bhí cuid mhór den fhírinne sa chaint sin, ach go raibh sé ró-throm ar na Sasanaigh. Bhí na lochtanna sin ar *Íosagán.* Ach ní bhaineann siad le healaín an scéil, dubh bán nó riabhach. Ba dóiche, dá mbíodh *Íosagán* ina scéal ní b'fhearr, nach n-ionsófaí an nós úr ar chor ar bith.

Cá bith mar atá na gnaithe sin, níor hionsaíodh Pádraic Ó Conaire ar chor ar bith, dá bhfuil a fhios agam. Thosaigh sé leis an nós úr. Níl *Páidín Mháire* cosúil le "Bhí sé ann agus is fada ó bhí" ar dhóigh nó ar dhóigh eile. Scéal maith atá ann, agus scéal maith *Nóra Mharcais Bhig,* ach níl siad chomh neartmhar ar chor ar bith le *Deoraíocht,* nó leis na scéalta atá in *An Chéad Chloch.* Ní díth nó tá ábhar scéil fíormhaith iontu araon; ach níl a cheird ag an údar go hiomlán. Níl a mheáchan uilig sa bhuille. Níl a chroí go hiomlán san obair. Ina dhiaidh sin, tá an Ghaeilge níos fearr sa chéad dá scéal seo ná i scéal ar bith eile dar scríobh sé. Ní chruthaíonn sin go bhfuil Gaeilge agus ealaín in aghaidh a chéile. B'amhlaidh mar bhí, go raibh an chéad dá scéal ag trácht ar Chonamara, agus—rud a ba mhó de shuim ná sin—nach raibh an t-údar i bhfad ar shiúl as an Ghaeltacht nuair a scríobh sé iad. Agus bhí seo fosta ann: ní raibh na smaointe ag teacht air chomh tiubh agus chomh hachrannach, nuair a scríobh sé an chéad dá scéal sin, agus nach raibh faill aige a bheith ag cur deise ar an chaint.

Trí bliana go díreach i ndiaidh *Nóra Mharcais Bhig* a chur i bprionta, cuireadh *Aba-Cana-Lú* i bprionta, fá Nollaig, 1909. Cá bith a bhí Pádraic a dhéanamh idir an dá am, cá bith a léigh sé nó chuala sé nó chonaic sé, bhí sé ina scríbhneoir dhéanta fá Nollaig, 1909. Ba é *Aba-Cana-Lú* an scéal ab ealaíonta a scríobhadh i nGaeilge ó thosaigh an litríocht úr go dtí sin.

Scéal atá ann nach bhfuil ag trácht ar dhaoine na hÉireann, nó ar dhaoine ar bith ar an taobh chéanna den domhan leo. Scéal faoin tSín atá ann; nó, leis an fhírinne a dhéanamh, scéal faoi áit nach bhfuil ar an domhan seo ar chor ar bith. Nó bhí Pádraic chomh haineolach ar an tSín agus go ndéanfadh an tír sin dídean dá chuid aislingí chomh maith leis na néalta a bhí fá luí na gréine. Scéal atá ann faoi dhream daoine a cuireadh faoi smacht agus faoi chrann smola. An méid nár maraíodh acu cuireadh faoi dhaoirse iad. Tugadh na mná do na Pairtigh—ba sin an dream a chuir faoi smacht iad. Ach tháinig an drochrath ar na Pairtigh ina dhiaidh sin. Tháinig eagla orthu go raibh fearg ar na déithe leo, agus rinne siad amach go ligfeadh siad ceann scaoilte leis an méid de na hAibitínigh a bhí faoi dhaoirse. Ní raibh beo ach aon fhear amháin acu: seanfhear a bhí ag obair sna poill mhianaigh faoin talamh go raibh sé ar shéala a bheith dall. Chuir siad chun siúil chun a thíre féin é agus gadhar á threorú. Ní raibh an fear i bhfad ar an bhealach gur chuala sé an guth ag scairtigh "Aba-Cana-Lú"! B'ionann sin i dteanga na nAibitíneach agus "A Athair Dhílis". Shíl sé gurbh é a mhac a bhí ann. "Patan-Lú!" (a mhic dhílis) ar seisean, agus lean sé an glór. Ach ní raibh dul aige greim a fháil ar an mhac, agus lean sé é trasna sléibhe mhóir a bhí le thine, go dtí gur thit sé faoi dheireadh agus go bhfuair sé bás leis an tuirse. Sheasaigh pearóid thall ar crann agus choimhéad sí é. Agus dearc ar an deireadh:

> " Dob í an phearóid seo a mheall an seanfhear isteach sa bhfásach lena glór, an t-aon ní beo a bhí in ann teanga na nAibitíneach a chanadh nuair a fuair an seansclábhaí bás faoi bhun na sceiche."

Féadaidh gach aon duine a chiall féin a bhaint as an scéal sin, ach admhóidh an saol gur scéal millteanach é. Is beag a bhéarfadh orm féin a chreidiúint gur tairngreacht é. Cuir na Gaeil in áit na nAibitíneach agus na Gaill in áit na bPairteach, agus an Gall a d'fhoghlaim Gaeilge " oifigiúil " in áit na pearóide, agus meabhraigh orthu. Nach mb'fhéidir gur shamhail Pádraic an t-am sin go raibh an Ghaeilge ag imeacht, agus go dtiocfadh an lá nach mbeadh fágtha ach pearóid de Ghall-Ghael a mbeadh Gaeilge bhriste aige, mar chomhartha gur mhair an tseanteanga uasal riamh? Ach bíodh a rogha barúil ag gach aon duine. Níl mise nó duine ar bith eile cinnte gur sin an rud a bhí in intinn Phádraic.

5. *An Rabharta*

Is cuimhin linn gur de mhuintir Chonaola Páidín Mháire, agus go raibh gaol aige do na rónta, agus nuair a thigeadh sruth rabharta go mothaíodh sé ina chuisleanna é. Ba é a dhálta sin ag Pádraic é; mhothaigh sé sruth rabharta ina chuisleanna agus ina aigne. Bhain sé duaiseanna an Oireachtais bliain i ndiaidh na bliana eile. Scríobh sé scéalta gairide agus scéalta fada, agus aistí agus drámaí. Ní raibh aon fhear ag scríobh Gaeilge a ba mhó a raibh clú air ná é. Ó 1909 go dtí 1921 scríobh sé leis, agus bhí a chuid scríbhneoireachta uilig maith, agus ba sin an t-am ab fhearr a scríobh sé.

Bhí ní ba mhó ná fáth amháin leis sin. Ba sin an t-am a raibh sé ina neart: ní raibh díth céille na hóige air ná beaguchtach na haoise. Bhí saol na nGael beo dóchasach le linn na mblianta sin: bhí siad ag machnamh go huasal, mar Ghaeil, gach aon áit dá raibh siad. Tháinig an Cogadh Mór i 1914 agus fuair ciníocha an domhain aithne ar a chéile, má ba aithne na mbó maol féin é. B'fhéidir gur fiú a rá anseo, fosta, nach dtáinig gorta agus ganntanas ar fud an domhain go dtí i ndiaidh 1921; nó níl bréag ar bith nó ní gorta agus ganntanas loit do scríbhneoir mar dhuine.

B'aoibhinn agus b'éifeachtach an saol a bhí in Éirinn an t-am sin, go dearfa. Bhí scoláirí ag teacht as tíortha coimhthíocha: Meyer, Pokorny agus Sommerfelt. Bhí Sasanaigh féin ag teacht agus ag foghlaim Gaeilge. Bhí Gaeil Alban ag teacht anall. Bhí fir ag iompar arm agus ag foghlaim saighdiúireachta in Éirinn. Bhí daoine éagsamhalta dána ag éirí amach gach aon áit ar fud na tíre. Bhí smaointe móra ag spreagadh daoine. Bhí teas san fhuil ag Clanna Gael nach bhfuil furast a thuiscint na blianta atá anois ann.

Tháinig an Cogadh Mór, agus mhair sé ceithre bliana. Bhí Éire ar cheann de na tíortha a ba lú a loit sé. Ar an ábhar sin bhí ní ba mhó de shuim ag muintir na hÉireann ann ná a bhí ag na tíortha a bhí ag troid. Tháinig an seisiú bliain déag agus bhí loingis Ghearmánacha ag tarraingt orainn le cabhair, agus bhí troid agus marfach againn i mBaile Átha Cliath, agus tithe ar scaite lasrach agus gunnaí móra ag búirigh. Ní raibh ansin ach a thús. Mhair an cogadh sin idir Gaeil agus Gaill go dtí 1923. Níor shocair saol na hÉireann ar feadh an ama sin. Ach chuaigh na hÉireannaigh a throid eatarthu féin i 1922. Is deacair a bheith cinnte, ach dar leat gur fhág sin a shéala ar chuid oibre Phádraic. Cuireadh *Béal an Uaignis* agus *Síol Éabha* i bprionta i 1921. Ach níor chuir sé leabhar ar bith a raibh an tairbhe chéanna inti i láthair Gael go ceann blianta ina dhiaidh sin.

D'fhág Pádraic an státseirbhís i 1914. Bhí sé ina scríbhneoir aibí an t-am sin. Bhí sé trí bliana déag agus fiche d'aois. Bhí aigne na nÉireannach ag cur cogaidh ar dhlíthe na Sasanach an t-am sin, agus d'fhág go leor daoine an státseirbhís dá thairbhe sin. Ach is dóigh liom go bhfágfadh Pádraic ar scor ar bith, uaidh féin, í. Ní fhóireann sé d'fhear filíochta nó ealaíne a bheith ceangailte. An té atá i bpríosún tá boltaí ar a chaolta, ach an té atá i bpost oifigiúil tá boltaí ar a anam. D'fhág Paul Verlaine an státseirbhís cé gur ina thír dhúchais féin a bhí sé. Bhí a fhios ag Pádraic gur dhual dó an t-eolas a dhéanamh do dhaoine eile ar bhealach shaoirseacht na haigne. Bhí a fhios aige, dá maireadh sé ag scríobh go filiúnta, nach raibh barr dó a chaidreamh a dhéanamh le daoine beo, agus bóithre geala casta a shiúl, agus spéir mhaidine agus nóna a bhreathnú, agus seasamh ar bhruach na toinne agus é ag féachaint loingis ar sáile.

Bhí, bhí a fhios ag Pádraic go dtáinig an t-am le toiseacht ar an bheatha fhiliúnta. Sin rud nach dtuigeann an slua ar na saolta deireanacha seo. B'fhearr a tuigeadh é sna Meánaoiseanna, nuair a ba ghnáth le filí agus le lucht léinn na tíortha a shiúl. Bhí seal ar shiúil na manaigh féin na críocha, sular chuir Naomh Beinidict na mainistreacha ar bun. Is beag duine a bheir toil don bheatha intleachtach nach dtig fonn an tsiúil air. Ach ó tháinig seal an óir agus an iarainn, seal na toite agus an tormáin, is fíorbheag duine a bhfuil iúl ar an bheatha intleachtach aige. Nuair a théid duine mar Phádraic Ó Conaire amach ar fud na tíre, ní thig a thabhairt air ach barúil éigin de dhá bharúil: gur amadán bocht leamh bog é, nó gur fear fíorchróga é. Is é an bharúil a bhí ag formhór na ndaoine de Phádraic, ar ndóigh, gur amadán a bhí ann, nó tá díth na tuisceana fada leitheadach. Anois, ní thiocfadh le hamadán na scéalta a scríobh Pádraic Ó Conaire a scríobh. Ní thig linn de bharúil a bheith againn dó, mar sin, ach go raibh sé cróga. Bhí sé fíorchróga, ag imeacht ar an tseachrán nuair a bhí a leithéidí ag dul ar lóistín i dtithe ósta a raibh aitheantas acu iontu, nuair a thigeadh orthu a dhul ar aistear.

Bhí sé riachtanach ag Pádraic gan a bheith chomh cosúil le duine de mheándaoine na hÉireann agus atá scadán le scadán eile. Bhí sé riachtanach aige dóigh dó féin a bheith air. Ní fhóirfeadh sé dó deich bPádraic Ó Conaire a bheith ar an tsaol, nó dhá Phádraic Ó Conaire ach a oiread. Ach b'éigean dó íoc go daor as seasamh ar a bhonna féin agus a intleacht a choinneáil saor. Ní thig a chuid ó neamh chuig duine ar bith; agus dá dtigeadh féin ghlacfadh sé súil mhaith a choinneáil ar an bhia, nó ghoidfeadh fear éigin eile uaidh é. Agus an té a shiúlas, ní ar an rud atá in aice leis a bhíos a shúil ach ar an rud i bhfad uaidh, an áit ar glas na cnoic ach nach féarmhar. An té a shiúlas ní dhéanann sé aon lón. Ach tá níos mó ná an ganntanas i ndán dó. Bíonn drochmheas air ag daoine nach dtuigeann é; bíonn amhras ag daoine air a shíleas go bhfuil drochrún aige; bíonn daoine ann ar mhaith leo trom a chur ar dhaoine atí siad ar lagchuidiú. An saol atá ann, tá na mílte daoine i gcomhar le chéile gach aon áit; agus an té atá leis féin ní hionadh má mhothaíonn sé meáchan mór an tsaoil ar a chroí mar bheadh cnoc ina luí ina mhullach. Tig lionndubh ar aigne file, fosta, dá fheabhas an saol atá aige. Goilleann an intinn ar an cholainn aige. Creidim gur dhúirt Pádraic féin fiche uair mar a dúirt Cathal Buí roimhe:

"Sé mo mhilleadh go bhfuair mise léann ariamh!"

Níl aoibhneas ar bith inchurtha le cead do choise. Ach nár dhúirt an seanduine nach dtáinig riamh an meadhar mór nach dtiocfadh ina dhiaidh an dobrón?

6. *'Neill' agus 'Deoraíocht'*

Bhí an chéad cheann de na scéalta atá i *Síol Éabha*—sin *Neill*—bhí sé i gcló roimh *Aba-Cana-Lú*. Bhí *Deoraíocht* i gcló roimh bhunús na scéalta atá ins *An Chéad Chloch*. Scéalta dóibh féin iad. Dar leat go bhfuil dhá Phádraic againn. Tá siad níos duibhe agus níos gruama ná *An Chéad Chloch*. Tá siad níos faide ón tsean-nós fosta. Dúradh go raibh tús róghiorraisc ar *Íosagán*: "Bhí sean-Mhaitias ina shuí le hais an dorais." Ach níl sé baol ar chomh giorraisc leis an tús atá ar *Neill*: "Ní raibh de sholas sa tseomra ach a dtáinig isteach tríd an bhfuinneog ón lóchrann sráide a bhí ina sheasamh ag coirnéal an tí." Cuirtear duine inár láthair i dtús *Íosagán*; ach ní chuirtear inár láthair i dtús *Neill* ach solas. Dearc ar na daoine a bhí leis an scéal a léamh: muintir na hÉireann, a bhfuil chomh beag de shuim sa chaint atá scríofa acu agus nach dtabharfadh siad aird ar litreacha i rith an tsaoil. Cuireadh pictiúir an tseomra seo ina láthair gan ghleo gan tormán—i láthair dream nár chreid riamh gur bhinn béal ina thost, dá n-abradh an seanfhocal céad uair é—píosa nach raibh feidhm a léamh go hard, píosa a mbainfeadh an tsúil as a raibh de chiall ann. Ní feasach dom go bhfuarthas locht ar bith air, gur dhúirt aon duine nár litríocht a bhí ann. Agus dá bhfaighfí locht ar bith air in Éirinn, bíodh a fhios agat nach ar leathchois a gheofaí an locht air; nó ní chreideann muintir na hÉireann go bhfuil ann ach an dá dhath, an dubh agus an geal. Bhí an lá buaite ag Pádraic.

Tá *Deoraíocht* cosúil le *Neill*, ach gur scéal fada é. Is é an scéal is faide dár scríobh sé é, ach amháin *Fearfeasa Mac Feasa*. Is iontach agus is neartmhar an scéal é. Leag mótar fear ar an tsráid i Londain, agus b'éigean an chos agus an lámh a bhaint de. Creidim go bhfaca Pádraic a leithéid sin de thaisme go minic i Londain. Ach is annamh a mhilleas taisme den tsórt sin an t-anam chomh maith leis an cholainn, más milleadh is cóir a thabhairt air. Nuair a baineadh an lámh agus an chos den deoraí, tháinig fearg agus éad agus bród air. Níorbh é an duine céanna ar chor ar bith é. Agus casadh daoine aisteacha air: an Bhean Mhór Rua agus an Fear Beag Buí agus an Bhean Ramhar. Níl amhras ar bith nó tá a leithéidí sin ar an tsaol, ach nach beag státseirbhíseach a bhfuil aithne aige orthu?

Tá an scéal dearg te óna thús go dtí a dheireadh. Tá sé i bhfad ró-the ag bacach a raibh obair aige greim a bhéil a bhaint amach. Tig an fhoighid chuig a leithéidí sin, ach níl foighid ar bith ag an Deoraí. Is léir dúinn gurbh é an fear céanna a scríobh an scéal seo agus a scríobh *Páidín Mháire*: fear nár fhulaing anró an tsaoil é féin, ach a chonaic uaidh é, agus ar ghoill sé go millteanach air.

D'fhéadfá a rá gur scéal Rúiseach é. Sílidh lucht Béarla na hÉireann go bhfuil siad féin níos faide ar aghaidh sa tsaol ná na Gaeil. Ach ní raibh leabhar Béarla ar bith scríofa ag Éireannach san am sin a bhí a fhad ar aghaidh le *Deoraíocht*. Bhí Béarlóirí na hÉireann ag scríobh litríochta náisiúnta, nó ag iarraidh a dhéanamh. Bhí áilleacht éadrom loinnireach ina gcuid oibre, agus aislingí nach raibh róneartmhar. D'admhaigh fear acu féin nach raibh an tsean-tallann iontu:

—That fierce olden ecstasy,
And that old singing, wild and brave,
Magic of wind and wood and wave,
And old high thoughts that clashed like swords.

Ní raibh. Ní raibh guth Lon Doire an Chairn acu nó gáir gharbh an tsaoil atá inniu ann ach a oiread. Ní raibh acu ach ciúnas cráifeach tíre a bhí ag séanadh an tsaoil agus nach raibh ina gníomhartha ach aislingí. Tháinig an lagar seo ar Éirinn ó d'imigh an Ghaeilge. Ach chuaigh Pádraic, mo Ghael folláin dóchasach, chuaigh sé amach ar fud an tsaoil, agus scríobh sé ar an tsaol a bhí ann lena linn, agus chruthaigh sé gurbh fhearr an t-oideachas d'Éireannach Gaeilge ná Béarla fá choinne an tsaoil. Chruthaigh sé go mb'fhusa d'fhear intleachtach as Conamara litríocht na Rúise a thuiscint ná d'fhear intleachtach as Cill Dara. An té a dhearcfas ar na blianta atá romhainn, tuigfidh sé gur mhó an tairbhe do litríocht na hÉireann agus do litríocht an domhain *Deoraíocht* ná *Wet Clay* nó *The Charwoman's Daughter*.

Cuireadh síos do Phádraic an rud a dtugann an Béarla *realism* air. Is mór an gar nach bhfuil a leithéid d'fhocal sa Ghaeilge againn. Is annamh a níthear an úsáid cheart den fhocal, ach is é an chiall a ba chóir a bheith leis, scríobh ar an tsaol gan maise ar bith a chur air le do chuid aislingí féin. Má tá *realism* dáiríre i scríbhneoireacht ar bith, is i gcárta madaidh nó i bhfoirm urrúis atá sé. Scéal cinnte nach bhfuil sé in *Deoraíocht*. Tá an saol ann a bhíos i mbailte móra; ach tá meadhar agus filíocht agus teas sa tsaol sin. Ní duine rófhiliúnta an Fear Beag Buí lena chastáil ort ar an tsráid. Ach dearc ar na hiontais atá aige fá do choinne má thugann tú dhá phingin dó. Agus más duine thú a d'fhág an chiall sin i do dhiaidh, dearc ar an ghreim atá ag an Fhear Bheag Bhuí ar an Deoraí; dearc ar an bhréag atá sé a insint air, ar an tslabhra bhuí agus ar an scian a bhfuil lorg chuid fola ochtar fear uirthi. Nach rud filiúnta déantúsán á dhó? Nach bhfuil an píosa seo filiúnta?

" Bhí páirc mhór i ngar dom, agus bhuaileas isteach ann le cupla uair a chaitheamh.

" Samhradh beag na Féile Michíl a bhí ann, ach bhí an ghrian, chomh lonrach is bhí i dtosach Lúnasa. Ní mórán daoine a bhí le feiceáil thart chomh luath seo, ach in aon chúinne amháin den pháirc. Bhí an cúinne sin lán. Is ar éigin a gheofá leithead do dhá bhonn inti. Bhí an áit dubh leo, agus iad uile ina luí ar an talamh. Lucht fáin agus seachráin a bhí iontu go léir. Bhí cuid acu ann, agus ba é an chuid ba líonmhaire é, a bhí ar a mbéal fúthu ar an talamh. Cuid eile ar shlatacha a ndroma, agus aghaidh tugtha acu ar spéartha neimhe. Cuid acu ina gcodladh. Cuid eile ina ndúiseacht. Fear anseo ag tabhairt na mionn a scoiltfeadh carraigeacha na Boirne. Fear thall ag síneadh na ngéag, agus á thochas féin; agus shílfeá air go mba mhór agus go mba mhillteach an obair air é.

" Na seanghiolcaisí a bhí orthu, má ligeann siad gaoth fhuar reoite an gheimhridh isteach, ar ndóigh, ligeann siad teas breá na gréine soilsí isteach freisin ar an nós céanna. ' Mura bhfuil agat móin déan do ghoradh le gréin ', ceapann siad uile go léir.

" Níor chuir an cúinne seo den pháirc aon ní i gcuimhne dom ach fathach mór fuafar a mbeadh galar gránna brocach air—galar millteanach a bhí ag lobhadh a chuid feola, agus á ithe go cnámh, agus a bhí le feiceáil ina spotaí móra dubha ag teacht amach tríd an gcraiceann. Ach leis an bpian a bhí air ón ngalar bhí dath glas ar a chraiceann, shíleas; agus bhí lúbarnaíl ina chuid feola a bhain croitheadh as na spotaí dubha úd anois agus arís.

" Rinneas féin mo ghoradh le gréin freisin ar bhrollach an fhathaigh fhuafair ghalraigh úd."

Sin sin. Agus má mheasann tú nach bhfuil áilleacht go leor ann le a bheith filiúnta, léigh an píosa atá ag trácht ar Chuan na Gaillimhe roimh an lá.

Sa bhliain 1909, scríobh duine áirithe léirmheas ar an chéad leabhar a chuir Pádraic i bprionta. Dúirt sé:

" Rud annamh ag scríbhneoirí scéalta, san am i láthair, míniú a dhéanamh ar oibriú na hintinne. Ar scor ar bith, rud annamh é ag scríbhneoirí a scríobhas fán tsaol atá anois ann. Ach tá an míniú sin le feiceáil go soiléir i gcuid oibre Phádraic Uí Chonaire."

Ní Pádraic sin, agus corruair dhéanann sé go fíormhaith é. Cuir i gcás:

" Ní raibh a fhios agam an t-am sin cén t-athrú mór a tháinig ar mo chroí ó d'éirigh an timpist dom. An t-athrú a thagas ar phráta d'fhágfaí ina luí ar an iomaire faoi ghréin an fhómhair."

Tá sin ar rud chomh domhain agus atá sa scéal. Agus fuair sé an chaint agus an tsamhailt a bhí riachtanach leis an smaoineamh domhain sin a dhéanamh soiléir, fuair sé i gConamara iad. Ní bheadh a fhios ag na scríbhneoirí seo a bhfuil an Béarla éadrom lonrach acu cad é rud gorm gréine a theacht ar phráta.

Tá *Deoraíocht* lán de scríbhneoireacht mhaith neartmhar, ón chéad duilleog go dtí an duilleog dheireanach. Dúirt mé go raibh trácht inti ar dhéantúsán a bhí le thine. Tá ga tine sa spéir ar fud an scéil uilig fosta. Tí tú daoine a chuaigh an t-áth nuair a tháinig tusa an clochán, tí tú go tréan dubh soiléir idir thú agus na bladhairí iad. Tá tallannacha tobanna iontu agus tá siad áibhéalach agus mórmhionnach; agus d'fhéadfá a rá go bhfuil siad béalscaoilte, cé nach gcanann siad mórán. An beagán a deir siad tig sé óna gcroí orthu. Tá siad á gcroitheadh agus á gcoscairt ó thús an scéil go dtí a dheireadh mar bheadh coill chrann nuair a bheadh gaoth mhór ann. Is í *Deoraíocht* an leabhar is fearr dar scríobh Pádraic ach amháin *An Chéad Chloch*.

7. '*An Chéad Chloch*'

Tá scéal sa leabhar seo darb ainm *Ná Lig Sinn i gCathú*. Scéal ar cheardaí cloiche atá ann, ceardaí a thréig só agus saibhreas agus cuideachta na cathrach, de gheall ar a dhul amach san fhásach agus dealbh mhór a dhéanamh ansin a mbeadh a chroí agus a anam inti, a mbeadh faobhar agus fuinneamh a shaoil go huile inti. Ní ghéillfeadh sé don rí féin. Ní thug sé leis ach mogha amháin, agus deireadh sé an phaidir seo gach aon oíche:

> " Go gcuire na déithe spreacadh im ghéagaibh."
> Agus d'fhreagraíodh an mogha é:
> " Le do chuid oibre a dhéanamh, a mháistir."
> Agus deireadh an ceardaí:
> " Go méadaí na déithe solas m'intinne."
> Agus d'fhreagraíodh an mogha é:
> " Le do chuid oibre a dhéanamh, a mháistir."

Nuair a léifeas tú an *An Chéad Chloch,* shílfeá go ndearna Pádraic mar rinne an ceardaí úd sular scríobh sé an leabhar. Tá sé i bhfad os cionn na leabhar eile: níl scéal ar bith ann ach sárscéal.

Ocht scéal atá ann: ceathrar acu ar dhaoine a bhfuil trácht orthu sa Bhíobla, agus an ceathrar eile fá sheanchine na nAibitíneach, má bhí a leithéid ann. Tá daoine sna scéalta seo, agus daoine nádúrtha go leor; ach ní hí an taobh dhaonna de na daoine a bhfuil trácht aige uirthi, ach ar an nádúir mar a shíothlaíos sí tríd an intleacht acu. Fealsamh de chuid na Gréige atá sa chéad scéal agus, ar ndóigh, is í an intleacht an chuid is soiléire de dhuine dá chineál sin. Ach insíonn Teatrarc na Gaililí a scéal mar bheadh file ann, agus é ag trácht ar a dhóigheanna agus ar a ghníomhartha féin mar a bheadh duine éigin eile ag trácht air.

Gníomhartha móra dána a ní na daoine atá sna scéalta seo uilig, cosúil le daoine atá ag caitheamh saoil de réir smaointe, agus nach bhfuil á chaitheamh de réir gnáis. D'fhéadfá a rá gur leabhar scéalta *An Chéad Chloch* le haghaidh lucht scríofa scéalta. Tá smior an scéil ghairid iontu. Is ionann sin agus a rá go bhfuil an chuid is filiúnta agus is uaisle den scéal ghairid iontu. Agus is ionann sin agus a rá go bhfuil scéalta gairide sa leabhar mar ba chóir scéalta gairide a bheith.

Níl fairsingeach go leor i scéal ghairid le lochtanna a bheith air; tá sa scéal fhada. Ní bhaineann scéal gairid ach leis an aon eachtra amháin; ach caithfidh an eachtra a bheith filiúnta agus brí a bheith léi a mbeidh doimhne an tsaoil inti. Le fiche focal a chur in aon fhocal amháin, is cosúla scéal gairid le dán filíochta ná le cruth ar bith eile litríochta. Bogann sé an croí agus an intinn ar an dóigh chéanna a mbogann dán iad. Dálta an dáin, níl bun cleite amach nó barr cleite isteach ann. Nuair atá sé léite agat, ba chóir duit a bheith ag machnamh go domhain tostach, agus do chroí a bheith ag insint duit gur iontach an rud an saol. Níl scéal maith gairid ar bith dar cumadh riamh nach bhfuil mar sin.

Agus tá na scéalta ins *An Chéad Chloch* mar sin. Nuair a scríobh Pádraic iad bhí sé ina neart. Ba deacair dó a dhul ní b'airde ná seo. Níor scríobhadh leabhar ar bith in Éirinn i dteanga ar bith lenár linn atá chomh héifeachtach leis an leabhar seo.

8. *An Dá Phádraic Arís*

Tháinig Pádraic Ó Conaire agus Pádraig Mac Piarais cóngarach dá chéile, cheana féin, nuair a bhí an troid idir an dá nós scéalaíochta. Tháinig siad cóngarach dá chéile an dara huair. Tháinig Pádraig Mac Piarais cóngarach i gceart don chine Ghaelach uilig nuair a throid sé agus thit sé i 1916. Mhothaigh fir óga na hÉireann sin; mhothaigh go leor de sheandaoine na hÉireann é; mhothaigh Gaeil agus Gall-Ghaeil é; gan fiú filí Béarla na hÉireann nár mhothaigh é. Dúirt Æ :

Here's to you, Pearse, your dream, not mine.
But yet the thought, for this you fell,
Has turned life's water into wine.

Ba sin an rud go díreach a tharla in Éirinn. Rinneadh fíon den uisce. Tháinig teas i gcuid fola na tíre. B'iontach mura mothaíodh Pádraic Ó Conaire sin. Agus mhothaigh. Níorbh fhada i ndiaidh 1916 go raibh an t-iomrá ag dul thart go raibh sé ag scríobh leabhair eile.

Nuair a thosaigh an cath i mBaile Átha Cliath bhí Pádraic thíos in Ó Méith. Dar leis go siúlfadh sé Gaeltacht na hÉireann agus go bhfeicfeadh sé cad é mar bhí an Ghaeilge. Thug leis asal agus carr agus d'imigh. Scríobh sé litreacha chuig *An Claidheamh Solais* ó am go ham ag insint fá na ceantair a shiúil sé. Chuaigh sé as Ó Méith go Tír Eoghain. Stad sé de na litreacha i gceann tamaill, agus ba mhór an trua, nó ba mhaith linn tuairisc an aistir sin a bheith againn. Bhí sé i dTír Chonaill, agus tháinig saighdiúirí na Sasana ansin air, agus thosaigh siad a chur ceisteanna air, nó bhí eagla orthu gur spíodóir Gearmánach a bhí ann. Creidim gur casadh i bhfiche áit iontach é, agus gur casadh fiche duine iontach ina dháil.

Ach bhí an leabhar mór ag faibhriú ina inchinn ar feadh an ama sin. Cuireadh i bprionta í i 1918. *Seacht mBua an Éirí Amach* an t-ainm a bhí uirthi.

Mura mbeadh ann ach an t-ainm, bhí rachairt mhór ar an leabhar seo. Bhí sí cumtha go héagsúil: seacht scéal, agus an tÉirí Amach ag cur deireadh ar gach aon scéal. Daoine tallannacha fiánta, agus iad á gcriathrú ag achrann an tsaoil, agus an tÉirí Amach ag teacht agus ag tabhairt solais dá n-intinn, agus ag athrú a saoil. Leabhar annamh í, go dearfa.

Ach ní abróinn gurb í an leabhar is fearr de chuid Phádraic í, nó an dara ceann ach oiread. Tá na daoine, nó an mhórchuid acu ar scor ar bith, mínádúrtha. Dearc ar an chéad scéal, fán cheoltóir, Pól Dubh. Tá bean sa scéal sin nach bhfuil cosúil le bean ar bith dá bhfaca muid nó dár shamhail muid. Ní hé an díoltas an rud is neartmhaire i nádúir mná: b'fhéidir go bhféadfadh a leithéid de bhean a bheith ar an tsaol, ach ní chreidim é. Ina dhiaidh sin, ní bheadh sé ceart duine a rá nach bhfuil an scéal sin maith. Scéal cumhachtach daite dian atá ann. Ba deacair scríobh ní b'fhearr ná seo:

" Sibhse a bhfuil amharc na súl agaibh tá an solas

agus an dorchadas agaibh, tá an lá agus an oíche agaibh mar chloch míle bhur mbeatha; ach ní hamhlaidh dúinne a chónaíonn i saol dubh de shíor. Níl againn mar chlocha míle na beatha ach gníomhartha ar fiú cuimhneamh orthu. Ba cheann díobh sin an turas oíche a thugas in mo sheanchóiste athartha le marú a dhéanamh. Ba saighead solais i ndabhach mo dhorchadais é. An seanchóiste maorga athartha sin do m'iompar thar bhóithre garbha clochacha agus gan ionam féin ach oirnéis díoltais. Ní ar son mo mhic amháin a bhí mé le díoltas a bhaint amach, ach ar son na mílte mac eile fuair anbhás in Éirinn leis na céadta blian."

Sin píosa as an dara scéal, nó is fán ábhar chéanna atá an chéad dá scéal. Tá scéalta eile sa leabhar nach bhfuil baol ar chomh maith sin. Gheofá na céadta scéalta cosúil le *Bé an tSiopa Seandachta* in irisleabhair, agus ní chuirfeá sonrú ar bith iontu. Níl *Rún an Fhir Mhóir* mórán níos fearr. Taitníonn *Anam an Easpaig* liom: tá sé cosúil leis an tsaol, agus ina dhiaidh sin tá uafás agus greann éagoitianta ann, nuair atí tú an tEaspag ar seachrán san oíche ag cuartú an tiománaí.

Tá dhá scéal fhíormhaithe sa leabhar: *M'Fhile Caol Dubh* agus *Beirt Bhan Mhisniúla.* Tá an ceann deireanach a d'ainmnigh mé i bhfíorthosach scéalta móra an domhain. Ní léifidh aon duine an scríbhinn seo ach duine a bhfuil Gaeilge aige; agus níor chóir dó a bheith riachtanach a insint do dhuine a bhfuil Gaeilge aige go dtiocfadh le scéal a bheith ar scéalta móra an domhain agus gan é a bheith scríofa i mBéarla. Léigh an scéal, agus déan dearmad gur thráigh an Ghaeilge siar go dtí na cladaigh; agus beidh mise sásta le do bharúil. Níor scríobh Scott nó Hardy nó Maupassant nó Tolstoy scéal gairid ar bith a bhéarfadh bua ar *Beirt Bhan Mhisniúla.*

Nuair a dhearcfas tú ar an leabhar ó bhun barr, tá sí

éagothrom. B'fhéidir, mura mbeadh, nach gcuirfí an tsuim chéanna inti. Tá scéalta laga inti; is amhlaidh is soiléire na scéalta láidre. Ach níl scéal ar bith inti nach bhfuil ceird an údair le feiceáil ann, agus í ar fheabhas. Canann na daoine na focla cearta; ní siad na gníomhartha atá ag cur leis an nádúir agus leis an aigne is mian leis an údar a fhágáil acu. Is mór an bhua, mura mbeadh ann ach é, na seacht scéal a bheith ag fás as an Éirí Amach, mar bheadh craobhacha as aon fhréamh amháin. B'fhéidir nach bhfuil leabhar ar bith de chuid Phádraic is gaiste a smaoineodh duine uirthi ná *Seacht mBua an Éirí Amach*. É féin an t-ochtú bua de chuid an Éirí Amach. Ina dhiaidh sin, nuair atá deireadh ráite, is fearr an leabhar *Deoraíocht* ná í, agus is fearr an leabhar *An Chéad Chloch* ná ceachtar acu.

Tá fiche duine a déarfadh go raibh cúl ar an rabharta an t-am seo, go raibh mallmhuir Phádraic ag teacht. Níor mhaith liomsa sin a rá. Scéalta gairide a scríobh sé, uilig ach an dá cheann, agus bhí sé inchurtha le scéal gairid a scríobh go maith go deireadh, féadaim a rá. Is iomaí uair a scríobh sé píosaí ar mhaithe le hairgead, agus is annamh a bhíos croí an údair dáiríre sa chineál sin oibre. Bhí sé ag éileamh na blianta seo nach raibh ceannach ar leabhair Ghaeilge ar bith ach leabhair scoile. Is furast locht a fháil ar údar má ní tú dearmad go mbíonn ocras agus tart air mar a bhíos ar chách.

9. *Bóithre na hÉireann*

Ba deacair do Phádraic fanacht fá na tithe ón lá a scríobh sé na scéalta atá ins *An Chéad Chloch*. Fuair a ealaín bua iomlán air an t-am sin. Níorbh fhéidir dó gan bealach na haislinge a leanstan ina dhiaidh sin.

Mura raibh sé ar an chnoc úd thall, b'fhéidir go raibh sé sa ghleann ar a chúl: an saol álainn aisteach as a dtáinig cine na nAibitíneach agus ríthe agus fealsúna an Domhain Thoir. D'imigh Pádraic lena asal agus lena charr. Shílfeadh formhór na ndaoine gurbh iontach é, ach gurb é nár bhuair formhór na ndaoine a gceann ar chor ar bith leis. Ná síl go raibh sé deacair ag Pádraic imeacht ar an dóigh seo. Dá mba é an fear ab éifeachtaí é dar shiúil riamh, b'fhéidir gur bheag a shílfeadh an fear a ba lú éifeacht dar shiúil riamh de agus gurbh annamh a chuimhneodh sé air.

D'fhág an siúl lorg ar chuid scríbhneoireachta Phádraic, ar ndóigh. Chuir sé i bprionta dhá leabhar a bhfuil litríocht na mbóithre iontu: *An Crann Géagach* agus *Béal an Uaignis*. Níl ceachtar den dá leabhar sin róchosúil leis an chuid eile dá chuid oibre. Is furast an ciúnas a thabhairt faoi deara iontu. Is annamh a scríobh Pádraic píosa mar seo:

" An raibh sé ina lá?

" Ar oscailt na súl dom chonaiceas réaltóg mhór gheal crochta ar an spéir os mo chionn, ina lóchrann álainn aoibhinn agus í ag dealramh anuas orm trí lomghéaga crainn fuinseoige a bhí le m'ais; bhí Bealach na Bó Finne ina bhóthar airgid trasna na spéire—an té go mbeadh a anam ina dhúiseacht i gceart chífeadh sé na sluaite aingeal ag gabháil an tslí sin; réaltóg eile nár aithníos ag bun na spéire thoir, agus leis an spréacharnaigh a bhí ón réalt sin shílfeá go raibh ceol nimhe á ghabháil aici ach nach bhféadfá an ceol sin a chlos mar gheall ar locht éigin daonna ar do chluais nó i do chroí féin.

" Corraíodh na géaga loma a bhí ar an gcrann fuinseoige os mo chionn; corraíodh gach luibh agus lus dá raibh thart orm; sea, an ghaoth i measc na gcraobh, dar leatsa, ach ní chreidimse a leithéid, agus nach bhfuil an oiread den cheart agamsa a rá nach cumhacht shaolta, nach í an ghaoth i measc na gcrann a bhí ag déanamh an ghnímh sin, is atá agatsa a mhalairt a rá?

" Bhí an oíche chomh ciúin is a bhfaca tú riamh, gan smathamh as aer, gan fuaim dá laige le clos, go dtí gur thosaigh an ceol seo sna craobhacha—má cheapair gurbh é ceol na gaoithe a bhí ann, an miste duit insint dom cén chaoi ar chualas mar bheadh na mílte fear beag bídeach ag tarraingt síoda drithleannach ar an bhféar feosaí le m'ais?

" An ghaoth i measc na gcrann! A amadáin an tsaoil seo . . ."

Tá ciúnas agus fuacht, agus áilleacht nach bhfuil daonna, sa phíosa sin. Tá sé cosúil leis an nádúir. Ach níor scríobh Pádraic mórán den chineál sin. Ní raibh sé inchurtha le litríocht leitheadach a scríobh fá shiúl na mbóithre. Ní raibh an grá te daonna aige don nádúir a bhí ag Wordsworth. Ní chreidim gurbh é a cheart scríobh fán nádúr ar chor ar bith nuair a bhí sé amuigh faoin ghrian agus faoin ghealach. Sílim gur chóir dó scríobh faoina chroí agus faoina anam féin. Níor mhaith liom a bheith ródhána, agus ba mhíle a ba lú ná sin a ba mhaith liom a bheith cadránta, ach tá a shárfhios agam nach raibh Pádraic inchurtha le litríocht mhór mura spreagadh an saol é.

Spreag an saol é le *Deoraíocht* a scríobh: spreag sé é le *Seacht mBua an Éirí Amach* a scríobh. Níorbh amhlaidh do *An Chéad Chloch*; ach ní raibh sé i ndán dó a leithéid sin a dhéanamh an dara huair. B'fhéidir gur fheall rud éigin ar Phádraic an t-am seo, go dtáinig fuacht foilmhe agus díth uchtaigh air. Níorbh fhear é cinnte a raibh fuacht nó foilmhe nó díth uchtaigh róláidir ina nádúir. Ach bhí saol na hÉireann ag dul síos an mhala. Bhí cogadh Gael le Gall ag éirí léi maith go leor; ach, eadrainn féin, nocht an cogadh sin go raibh i bhfad ní ba mhó Galltachta in Éirinn ná a shamhail na hÉireannaigh. Nuair a rinneadh an tsíocháin bhradach i 1921, agus nuair a tháinig an cogadh eadrainn féin i 1922, thuig muid uilig cad é an smacht a bhí curtha ag Sasana ar Éirinn. D'éirigh cuid againn gruama, agus lán ní ba mhó againn fabhtach, bithiúnta. Bhí ár gcuid mianta muscailte; ach bhí ár ndúchas scriosta, agus ár n-oideas creapalta, agus seachrán ar ár dtuiscint. Bhí an tsoineantacht ar shiúl as na daoine. Nuair atá an tsoineantacht ar shiúl as duine tá cuid cleas a namhad foghlamtha aige; ach ní hé sin a leas ach a aimhleas. Ní thiocfadh do Phádraic gan cuid den donas seo breith air. Dá mbíodh sé féin agus a thír dhúchais chomh beo iomlán agus a bhí siad i 1914, nuair a chuir sé *An Chéad Chloch* i bprionta, ní bheadh dochar dó a dhul fá chnoic agus fá choillte. Bhainfeadh sé áilleacht astu san am sin a bheadh ní ba ghaolmhaire dó féin.

Dúirt mé i dtús m'aiste go raibh *An Chéad Chloch* mar a bheadh fíon agam ann. Tá sé ar shlí a ráite anseo go raibh *An Crann Géagach* agus *Béal An Uaignis* mar bheadh uisce agam ann. Ba iad an chuid ab fhearr agus a ba bhlasta den fhíoruisce iad, go dearfa, agus ba mhaith iad le taobh fiche súlach agus greagán stulpaithe ab éigean dom a ól, ach ní raibh meadhar ná mire na fíniúna iontu. Agus bhí mé féin agus gach aon duine eile ag dúil leis sin ó Phádraic.

10. *An tOcras—agus an Tart*

Bhí fear ag insint dom gur chuir sé ceist ar Phádraic, seacht nó ocht de bhlianta ó shin, cad é a bhí sé a scríobh ar na saolta sin.

" Tá," arsa Pádraic, " ' tá an cú óg; tá an bhó mór '
—leabhair scoile."

" Agus, a Phádraic, cad chuige a bhfuil tú do do chur féin amú leis an obair sin? "

" Tá, a rún," arsa Pádraic, " an t-ocras—agus an tart."

Anois tá an t-ocras daor go leor, ach shlogfadh an tart Cnoc an Eargail dá mbíodh sé ina ór. Agus, de bharr ar an ádh, dá mhéad an t-ocras is amhlaidh is mó an tart. Tá muintir na hÉireann tartmhar ar an ábhar nach bhfuil a sáith le hithe acu. Is beag dream daoine a itheas chomh beag leo, go háirid ó bhí an Drochshaol ann. Ach ní hé amháin go raibh dúchas an tairt i bPádraic, mar atá sé ionainn uilig; bhí teas na haigne á dhéanamh tartmhar. Ní thuigeann duine ar bith nach bhfuil ina scríbhneoir an méid de neart a chroí agus a anama a chuireas údar i bpíosa maith litríochta. Is beag fear a bhfuil cuisle na healaíne nó na filíochta ann nach n-ólann. Ní le greann ar bith a dúirt Cathal Buí fada ó shin :

Nach bhfeiceann tú éan an phíobáin réidh,
Mar chuaigh sé dh'éag leis an tart ar ball?
A chomharsana chléibh, fliuchaigí bhur mbéal
Óir ní bhfaighidh sibh braon i ndiaidh bhur mbáis.

Bhí Pádraic tugtha don ghloine, agus ní mholann aon duine a dhóigh; ach, mura bhfuil tú i do dhobhrán, ná bí ar an chéad duine a cháinfeas é, a déarfas gur fear lag a bhí ann. Is iomaí sórt laige ann, agus is beag neart nach bhfuil an laige ag siúl leis.

Nuair atífeas tú leabhair bheaga sna siopaí, leabhair a bhfuil *An Chinniúint* agus *Eachtraí Móra inár Stair* agus *Mór-Thimpeall Éireann ar Muir* agus *Trí Truaighe na Scéalaíochta* mar ainm orthu, agus Pádraic Ó Conaire mar údar acu, ná bí róchruaidh orthu. Níl na leabhair mórán níos fearr ná a leithéidí eile, ach go n-aithneoidh tú lorg láimhe Phádraic orthu. Ní raibh sé ag smaoineamh ar litríocht, ach ar an ocras—agus ar an tart.

Ba é sin an fáth, fosta, ar theagasc Pádraic ranganna Gaeilge. Níorbh obair ar bith dá leithéid teagasc Gaeilge. Obair thirim an obair sin—obair nach bhfuil litríocht ar bith inti, obair a chognas agus a mheileas litríocht. Ach ní raibh an dara suí sa bhuaile ann. Tharla Pádraic beo nuair a bhí muintir na hÉireann ainbhiosach, agus nach raibh siad ach ag toiseacht a fhoghlaim. B'fhearr dá phóca agus dá shláinte é, agus ba suaimhní dá intinn é, dá mbíodh sé gan a bheith in inmhe a dhath a scríobh ach " Tá an cú óg; tá an bhó mór." Ligeadh cuid de na leabhair is fearr dar scríobh sé as prionta: ní thiocfadh le scríbhneoir Gaeilge a bheith beo ar a chuid litríochta, dá fheabhas é. Bhí an saol gann, gortach, ainbhiosach, fuar ina thimpeall. Bhí sé ina ghuala fhann gan bráthair.

Bhí a fhios aige sin go maith, agus ní hionadh má chuir sé buaireamh air agus má d'ól sé tuilleadh lena linn. Rinne sé a oiread oibre agus, dá mbíodh saoirse agus oideachas agus rathúnas ina thír dhúchais, go mbeadh sé ina shaith den tsaol agus go mbeadh urraim dó agus clú air. An té a bhíos ina laoch i measc dhream donán ní théid leath a luacha air. Is éard a bhítear ag éad leis, agus ag teacht i dtír air, agus ag déanamh feille air. An té a bhfuil tuiscint air sin aige beidh tuiscint ar Phádraic Ó Conaire aige, agus ar an dá laige a bhí ag siúl leis: an t-ocras—agus an tart.

11. *Pádraic Mar a Chonaic Mise É*

Casadh orm é i 1925. Fá Nollaig a bhí ann, agus bhí mé ag teacht aniar as Gaillimh go Baile Átha Cliath. Sílim gur ag Béal Átha an Rí a casadh bráthair d'Ord Naomh Proinsias orm, agus an dubh-áthas air.

" An bhfuil a fhios agat cé atá istigh anseo agam?" ar seisean.

" Níl a fhios," arsa mé féin.

" Pádraic Ó Conaire ! " ar seisean.

Bhí an bráthair ag teacht ón traen san áit seo. Chuaigh mise isteach. Cuireadh in aithne dá chéile muid ar nós na nGall. D'amharc sé orm :

" Conallach thusa," ar seisean.

" Sea," arsa mise.

Ní dhearna sé comhrá ach idir amanna. Agus níor bhrúigh mise comhrá air. Bhí urraim agam dó. B'fhearr liom é féin labhairt.

Bhreathnaigh mé é. Bhí sé cóirithe go héagsamhalta : seanmháilín agus bata leis agus éadach smolchaite air agus meallbheart leathair. Shuíodh sé nó sheasaíodh sé mar thigeadh de mhian air. Is cuimhin liom go dtáinig sé tríd mo cheann go raibh dánacht an bhaile mhóir ann; ach smaoiním ó shin gur saoirseacht intleachta agus tola a bhí aige. Bhí a anáil ard agus cuma air go raibh pian mhór anama air, go raibh na néaróga ag polladh agus ag strócadh an choirp aige. Bhí sé le haithint ar a dhá shúil gur pótaire a bhí ann. Bhí braon ólta cheana féin aige.

Bhí muid ceathrar ann : bráthair eile d'Ord Naomh Proinsias a tháinig isteach, agus oide coláiste agus mé féin agus Pádraic. Bhí Pádraic cineál corrach.

" A Bhráthair Phroinsias," ar seisean, " an bhfuil a fhios agat go bhfuil Págánach sa charrán leat? "

Bhí an bráthair mór ag comhrá leis an oide, agus b'fhearr leis gan aird a thabhairt ar Phádraic.

" Págánach mise, a bhráthair," arsa Pádraic. " Ach ina dhiaidh sin tá dúil agam i Naomh Proinsias."

" Tá," arsa an bráthair, " ar an ábhar go raibh daonnacht ann."

Ní raibh an bráthair é féin gan tuiscint.

" Tá deartháir agamsa thall i Moscó," arsa Pádraic. " Níl aon Mhothamadán ar an domhan a bhfuil Gaeilge aige ach é féin."

Nuair a chuala mise seo, bhí a fhios agam go raibh sé ag scéalaíocht. Bhí a fhios agam go raibh mé i láthair fíorghlinnte a intleachta, an áit as a dtáinig *An Chéad Chloch* agus *Deoraíocht.*

" Nach aisteach na creidimh a thogh sibh daoibh féin ? " arsa mise.

" Sea!" arsa Pádraic. " Agus ní chuirfear mise choíche i dtalamh Chríostúil. Rinne mise tiomna, agus d'fhág mé d'fhiacha ar mo mhac, ar Phádraic Fhionn Ó Conaire, mo chorp a thabhairt go Golder's Green, nuair a fhágfas an anáil mé, go dtí go ndóitear é. Agus an luaith a thabhairt anall go hÉirinn, agus a dhul amach i mbád ar Chuan an Fhir Mhóir agus an luaith a chaitheamh amach san uisce, agus an rud a tháinig ón fharraige a thabhairt ar ais di."

Dúirt sé an chuid dheireanach den chaint chomh brónach sin agus gur mheas mé go raibh sé dáiríre. Nach n-abrann lucht an eolais gur in imeall na trá a d'fhaibhir na chéad chréatúir a mhair ar an domhan seo?

Ag comhrá idir amanna dúinn, chuaigh sé a thrácht ar scríbhneoirí agus ar leabhair Ghaeilge.

" A Phádraic," arsa mise, " an bhfuil tú ag scríobh leabhar ar bith anois? "

" Tá," ar seisean. " Tá leabhar mór fada scríofa agam

a bhfuil míle leathanach inti. Is é an t-ainm atá uirthi *An Fear*. Tá sé ina trí chuid: *An Fear, An Bhean sa bhFear,* agus *An Beithíoch sa bhFear*. Ach ní chuirfidh na clódóirí i gcló mo chuid leabhar," ar seisean go haingíoch.

Chuaigh muid a chaint ar leabhair daoine eile ansin. Sa deireadh, arsa mise:

" Ar léigh tú scéalta ar bith riamh a scríobh ' Iolann Fionn '? " Ní raibh a fhios aige gur sin mé féin.

" Léigh," ar seisean. " Beidh sé ina scríbhneoir mór."

Tá an méid sin agam ó Phádraic Ó Conaire, abradh lucht mo cháinte a rogha rud.

Tamall ina dhiaidh sin tharraing sé amach buidéal beag uisce beatha agus bhain sé braon as. Ghlac sé leithscéalta, fosta, ach ní raibh an bráthair mór nó an t-oide béasach ag cur suime ann an t-am seo. Ansin tharraing sé amach páipéar. *Honesty* a bhí ann. Thug sé ordú domsa alt ar *The Dublin Newsboy* a léamh dó.

Mar dúirt mé cheana féin, ní raibh an bráthair mór nó an t-oide béasach ag cur suime ar bith ann. Rinne mise cibé freastal a tháinig liom air. Creidim i gceart nach raibh mé tuisceanach go leor, nó coimhéadach go leor. Ach níor sheachain mé é. Cad é a bheadh le rá agamsa liom féin ó shin, dá seachnaínn an lá sin é? Léigh mé an t-alt dó.

Lig sé a dhroim siar le taca agus d'éist sé. Bhí an t-alt maith. Nuair a léinn rud domhain ar bith, stopadh sé mé.

" Déan machnamh air sin," a deireadh sé, agus smúid an mhachnaimh ar a shúile. B'aoibhinn liom mar sin é.

Nuair a tháinig muid go Má Nuad d'éirigh sé go dtí an fhuinneog.

" An bhfeiceann tú caisleán na nGearaltach? " ar seisean go háthasach.

Bhí dúil ina leithéidí sin agamsa, ach níor casadh an dara duine orm go dtí sin a bhí liom amhlaidh. Níor casadh aon duine orm go dtí sin nach gcaithfeadh uisce fuar ar mo bharúil dá gcuirinn gos ard í. Fuair mé a oiread de ghorta intinne agus nach raibh ionam an bia a chaitheamh nuair a fuair mé é. Ní dhearna mé a oiread úsáide agus ba cheart dom den tamall iontach sin, idir Béal Átha an Rí agus Baile Átha Cliath, a bhí Pádraic Ó Conaire agam dom féin. Ach thuig mé ar scor ar bith an intinn bhreá dhána a bhí aige. Níor casadh aon scríbhneoir Béarla orm riamh a bhí chomh dána nó chomh fearúil leis. Ní raibh a cheann crom aige, agus ní raibh leithscéal ar bith ina chaidreamh.

D'imigh sé uaim nuair a tháinig an traen go Baile Átha Cliath, a bhata ina láimh agus a mháilín ar a dhroim. D'imigh sé isteach tríd an tsruth dhubh dhaonna; agus dar liom má bhí an sruth sin daonna nach raibh duine iomlán ar bith ann. Dar liom go raibh únfairt agus sraitheachtáileach an tsaoil ina thimpeall agus eisean ina dhuine ag siúl tríd. Beidh cuimhne le mo sholas agam ar an choiscéim chinnte a bhí leis tríd eagla agus thnúth agus shaint na cathrach.

Casadh orm arís i nGaillimh é an bhliain ina dhiaidh sin. Bhí sé ag teagasc ansin. Bhí sé cóirithe go maith agus ribín ina choiléar. Bhí cuma air nach raibh sé ag ól mórán; bhí sé líon lán san aghaidh, mar bhíos fear i ndiaidh stad den ólachán. Bhí sé dóighiúil, dar liom; níor shamhail mé sin an chéad lá. Bhí an phian chéanna air—pian na hintinne.

Ní dhearna muid mórán cainte, nó ba ghairid go dtug sé cuireadh dom a theacht go mbeadh deoch agam. Ní raibh airgead ar bith agamsa. Dúirt mé leis nach raibh mé ag ól. Chuaigh an iarraidh sin amú orm.

Chonaic mé dhó nó trí de chuarta ina dhiaidh sin é, ach ní raibh mé ag caint leis. Chonaic mé uair nó dhó ag dul trasna na sráide ag tarraingt ar oifig Chonradh na Gaeilge é, agus é ag caitheamh tobac go sámh. Chonaic mé istigh ansin é uair eile, nuair a bhí lucht an Chonartha cruinn ag Ard-Fheis nó diabhal éigin. Ach, ar ndóigh, ní rabhthas ag cur mórán suime ann i measc na mboc éifeachtach úd. Is beag nár shíl mé féin an t-am sin go raibh siadsan éifeachtach. Is cuimhin liom Pádraic a theacht isteach in Áras an Fháinne agus anghlór a dhéanamh a bhí chóir a bheith cosúil le méileach uain. Níl a fhios agam cad é a bhí faoi aige. Chuaigh cúpla " conraitheoir " a gháirí, agus dar leo gur ghreannmhar an duine é. Ach b'fhéidir go bhfuil go leor ráite agam.

Ní fhaca mé Pádraic ní ba mhó.

12. *Iomrá Phádraic*

An méid eolais a fuair mé ar Phádraic taobh amuigh de sin, ó dhaoine eile a fuair mé é. B'iontach an méid daoine a raibh dúil acu ann. Ní chuala mé aon duine riamh ag cur trom air—ach sagart amháin as Béal Feirste. Níl mé cinnte cé acu a bhí aithne ag an tsagart seo air nó nach raibh. Bhí sagairt eile a bhí mór leis. Mar a dúirt mé cheana féin, bráthair d'Ord Naomh Proinsias a chuir in aithne domsa é.

Thíos ar oileán mara i dTír Chonaill dúirt fear áirid liom gur dhúirt fear leis gur " fear cosúil leis an chineál fear a thig ó shíol Ghaelach a bhí i Micheál Breathnach, agus fear cosúil leis an chineál is ísle a bíos fá chúlshráid-eanna baile mhóir a bhí i bPádraic Ó Conaire." Ní fiú mórán an chaint sin, ná níl inti ach dúirt fear liom gur dhúirt fear leis. Agus níor de shíol Ghaelach Micheál

Breathnach ar chor ar bith, dá dtéadh an chúis go cnámh na huillinne. Ach, ar scor ar bith, rinne Conradh na Gaeilge cuid mhór molta ar Mhicheál Breathnach nuair a fuair sé bás. B'fhéidir gur thuill sé é, ach, anois nuair nach maireann de cheachtar acu ach saothar a dhá lámh, ní chuirfidh aon duine choíche Micheál Breathnach i gcosúlacht le Pádraic Ó Conaire.

Chuala mé iomrá ar Phádraic ó chuid de mhuintir Bhaile Átha Cliath. Ba ghnáth leis a bheith go minic i measc na mbocht sa chathair. Nuair a bhí sé ar leaba an bháis chuimhnigh duine acu air, murar chuimhnigh aon duine eile air; ach is leor an scéal sin ina áit féin. Chuala mé iomrá air ar an Inbhear Mhór, baile beag socair suaimhneach soineanta ar chladach Chill Mhantáin, a bhfuil gleannta aoibhne in aice leis. B'áin le Pádraic a bheith ansin i measc na n-iascairí.

Bhí fear eile ag insint dom go bhfaca sé maidin amháin é ag teacht isteach go Baile Átha Cliath, sa bhliain 1920. Bhí cuid fear na Sasana i ndiaidh teach áirid a dhó. Sheasaigh Pádraic agus bhreathnaigh sé an teach. Bhí sé féin salach, fliuch, aimlí, úcaiste ó mhullach a chinn go barr a choise. Cad é a tharla dó ach gur casadh na saighdiúirí dó ar an bhealach isteach. Níor thuig siad é, ar ndóigh, agus bhuail siad agus d'únfairt siad é.

Instear a lán scéalta beaga greannmhara ar na hiasachtaí beaga airgid a d'iarradh sé. Ní fiú trácht orthu; níor chuir aon duine é féin amach ar an doras ar mhaithe leis. Ní thug Éire an t-airgead a bhí saothraithe aige dó. D'fhéadfadh sé a bheith beo ar a chuid leabhar dá mbíodh an tír mar thír eile againn.

Ba mhaith le cuid mhór daoine a bheith ag caint air ar scor ar bith. Bhí a chlú pearsanta ní ba mhó ná a chlú scríbhneoireachta. Bhí, ar an ábhar, creidim, nár thuig gach aon duine dá raibh ag trácht air a chuid scríbhneoireachta. Fuair a chuid dóigheanna, a chuid siúil agus a chuid drabhláis, bua ar shamhailt na ndaoine. Tháinig sé in éifeacht i litríocht agus lig sé maoin an tsaoil le sruth. Thaitin sin le muintir na hÉireann. Dá gcoinníodh sé greim ar mhaoin an tsaoil le cois an litríocht a scríobh, bheadh fuath acu air. B'fhéidir go raibh tuilleadh sna gnaithe. B'fhéidir gur thuig siad an t-anam mór a bhí ann agus nach bhfuil siad chomh lofa agus chomh droch-chroíoch agus a chuirimse síos dóibh. Ar scor ar bith, níl dochar dom maithiúnas a thabhairt dóibh, nó bhéarfadh Pádraic féin maithiúnas dóibh.

13. *Na Leabhair Dheireanacha*

Scríobh Pádraic trí leabhar i ndiaidh 1921, le cois " Tá an cú óg; tá an bhó mór." Ba sin *Brian Óg* agus *Beagnach Fíor* agus *Fearfeasa Mac Feasa*. Ní thiocfadh a rá gur fhág sé an peann ina dhiaidh a fhad is mhair sé: níor cuireadh *Fearfeasa* i bprionta go dtí i ndiaidh a bháis. Ach ní raibh an neart céanna ina chuid scríbhneoireachta a bhí roimhe sin. Bhí an cheird aige chomh maith agus bhí riamh; agus d'aithneofá ar gach scéal gurbh é féin a scríobh é agus nárbh é an dara duine. Ach bhí sé mar nach mbeadh sé dáiríre ní b'fhaide. D'fhóirfeadh na scéalta deireanacha seo do pháipéar nuachta, ach ní thiocfadh leat a rá gur litríocht bhuanfasach iad.

Ní hionann sin agus a rá nach raibh siad ní b'fhearr ná mórán eile dá rabhthas a scríobh. " Paidí Beag Ó Cnáimhsí," arsa Seáinín Néillín (fear a bhí san áit s'againne), " nár throid a dhath ariamh!" Ní bheadh sé indéanta ag an té nach raibh ina scríbhneoir é féin beag a dhéanamh de na scéalta deireanacha seo.

Scéal fá bhriseadh na Bóinne *Brian Óg*. Nuair a thosaíos tú ar an scéal agus léas tú fán chomhrac a bhí idir Ceallachán Chorcaí agus Dálach Thír Chonaill, dar leat nach bhfuil meath ar bith ar an údar go fóill. Agus tá an Caiptín sin as Gaillimh beo beathaíoch. Ach níl meáchan sa leabhar. Agus nuair atá tú ag dúil, ar a laghad, lena oiread eile cuireann sé deireadh leis an scéal. Dar leat nach ndearna an t-údar a dhícheall. B'fhéidir go raibh an fuacht agus an t-ocras agus an codladh amuigh ag goilleadh air.

Aistí agus scéalta beaga gearra éadroma atá in *Beagnach Fíor*. Léifidh tú iad, ó cheann go ceann, agus admhóidh tú go bhfuil siad iomlán. Ach níl an bhrí iontu. Tá siad cosúil le píosaí a scríobhfaí do pháipéar nuachta.

Leabhar di féin *Fearfeasa Mac Feasa*. Fear dó féin Fearfeasa; agus dar leat gurb é Pádraic é féin é. Fear siúil siúlach, scaiptheach, intleachtach, magúil, cleasach, lách. Is fiú an leabhar a léamh ar mhaithe leis an méid de nádúir Phádraic inti. Dar leat gurb é a bheatha féin a scríobh sé agus giota beag léi. Agus dá bhfágfaí cead a chinn ag fear ar bith scríobhfadh sé a bheatha féin agus chuirfeadh sé giota beag léi. Tá dhá thaobh ar shaol gach aon fhir: an saol a ba mhian leis a chaitheamh, agus an saol ab éigean dó a chaitheamh.

Mar litríocht, níl *Fearfeasa* go dona ar chor ar bith. Tá greann agus loinnir aisteach sa chéad chaibidil. Níor cuireadh Fearfeasa ná a chuid deartháireacha chun na scoile riamh. Ach, oíche amháin, tháinig a athair chun an bhaile ó Aonach na Gaillimhe, agus é ar meisce, agus fear leis a bhí ag maíomh gurbh é Impireoir Mór na hAithne é agus go raibh tíortha an Domhain Thoir faoina smacht. Nuair a chodail siad ar an mheisce chuir Mac Feasa an " tImpireoir " a theagasc a chuid mac.

Trí ghloine póitín sa lá páirt dá thuarastal. ...
a bhí mar chlár dubh aige. Is fiú i gceart an p...
a léamh.

Greann is mó atá sa leabhar. Níl an ghruaim ...
bhí sna scéalta a scríobh sé ina óige. Leádh an b...
as a chroí le tréan d'anró an tsaoil. B'fhéidir go bhfu...
sé suaimhneas agus gur imigh an phian intinne i ndeireadh a shaoil. Is fearr *Fearfeasa* scríofa ná gan scríobh. Tá sé le tuiscint againn as go dtáinig athrú ar a aigne ag Pádraic, cibé acu a bhí a shaol ní ba sáimhe lena linn nó nach raibh.

14. *Pádraic go Fann*

Tháinig Deireadh an Fhómhair sa bhliain 1928. Bhí fuacht an gheimhridh ag tarraingt orainn, agus cloíteacht an dúilrimh, agus anró na mbocht agus éanacha an aeir agus ainmhithe beaga na coille. Leis sin chonaic muid ar na páipéir go bhfuair Pádraic Ó Conaire bás sa Richmond Hospital. Bhog a bhás gach aon duine a raibh aithne air féin nó ar a iomrá aige. Bhí bearna sa tsaol Ghaelach. Bhí tuilleadh ann : bhí éagóir déanta, nó bhí a shárfhios ag an tsaol go raibh bás Phádraic truacánta.

Chuala muid tuilleadh den scéal de réir a chéile. Bhí Pádraic abhus fá Bhaile Átha Cliath nuair a tháinig an bás air. Cuireadh isteach i leaba i seomra na mbocht é sa Richmond. I ndiaidh gach duine dá raibh i gConradh na Gaeilge, i ndiaidh gach clódóir a rinne airgead air, ní raibh aon duine le cuidiú leis.

Chaith sé a shaol go filiúnta. Bhí a bhás ag cur leis: bás filiúnta a bhí ann. Bheir sé inár gceann bás Chathail Bhuí i gcró an fhiabhrais. Smaoinigh cuid againn ar bhás Richard Brinsley Sheridan :

How proud they can press to the funeral array
Of him whom they shunned in his sickness and sorrow;
How bailiffs may seize his last blanket to-day,
Whose pall will be held up by nobles to-morrow.

Bhí muid ag dúil go mbeadh an tórramh maith féin. Ach ní raibh. Ní dhearna Conradh na Gaeilge dada. An chéad chruinniú a bhí acu i ndiaidh a bháis, tráchtadh ar a ainm, rinneadh moladh mairbh air nach raibh leath chomh filiúnta agus ba chóir dó a bheith, agus ansin báitheadh a chuimhne sna miontuairiscí.

Ní dhearna aon duine taobh amuigh den Chonradh a dhath ach an oiread. Tháinig fear amháin as Cumann Oibrithe Bhaile Átha Cliath isteach go seomraí an Chonartha ag rá gur mhór an náire an neamart a bhíothas a dhéanamh i bPádraic. Ba dea-chroíoch a chuidsean de.

Nuair a bhí Pádraic ina luí marbh sa Richmond bhí a sheilbh shaolta ar an tábla bheag ag taobh a leapa: úll agus píopa agus unsa tobaca. Nach é Pádraic é féin a scríobhfadh an scéal binn brónach dá bhfeiceadh sé a leithéid sin!

Scríobhadh aistí thall agus abhus á mholadh i ndiaidh a bháis. Níor mhór an chabhair dá chlú iad. Na daoine a scríobh iad, ní raibh ealaín an scríbhneora acu ná tuiscint ar litríocht, ná dada ach an dea-rún. Agus ansin tháinig an oíche agus an suaimhneas.

Níor dódh a cholann agus níor caitheadh an luaith san fharraige i gCuan an Fhir Mhóir. B'fhéidir nach raibh sé dáiríre faoi sin. Ach cuireadh i nGaillimh é, agus níl sé i bhfad ón Chladach. Líonann an lán mara agus tránn sé; tig an rabharta a bhogadh an fhuil ag Páidín Mháire, an fear a raibh gaol aige do na rónta. Bíonn daoine as Conamara amach agus isteach go Gaillimh agus iad ag labhairt Gaeilge. B'fhéidir go mairfeadh na Gaeil a fhad leis an lán mhara, a fhad agus bheadh rabharta agus mallmhuir ann. Agus mairfidh clú Phádraic Uí Chonaire a fhad agus mhairfeas na Gaeil.

15. *Leacht Phádraic*

Nuair a bhí Pádraic tamall curtha thosaigh daoine a chaint ar leacht a thógáil os a chionn. Chuaigh siad a chruinniú airgid. Tá an leacht sin idir chamánaibh go fóill.

Ach ní air atá m'aird, ach ar an leacht a thóg Pádraic é féin: a chuid scéalta. Nuair a thosaigh sé ní raibh mórán litríochta á scríobh i nGaeilge. Ní raibh clú scríbhneora ar fhear ar bith ach an tAthair Peadar Ó Laoghaire. Bhíothas ag rá, gan cnámh a chur ann, gur scríbhneoir mór an tAthair Peadar. Is fada ó dúirt aon duine sin anois. Ba é mar a bhí an scéal gur as Corcaigh an tAthair Peadar, agus go raibh Corcaigh ag iarraidh lámh an uachtair i ngnaithe na Gaeilge. Ceantar a bhfuil cathair mhór ann, cosúil le Contae Chorcaí nó leis an taobh thoir-thuaidh de Chúige Uladh, bíonn aicíd an chúigeachais ag leanúint de. Tá Éire taobh amuigh den dá cheantar seo. Bhí muintir Chorcaí ag cur i gcéill gur scríbhneoir mór an tAthair Peadar, go dtí go dtáinig Pádraic Ó Conaire as Éirinn agus gur mhill sé an cur i gcéill orthu. Dá mbíodh sé gan a theacht, bheadh litríocht na Gaeilge thíos go mór leis. Ní hé amháin nach mbeadh a chuid scéalta againn; bheadh tuilleadh nach mbeadh againn. Tá scríbhneoirí óga anois, agus ní miste liom a rá go bhfuil siad faoi chomaoin aige. Is furast do scríbhneoir óg ar bith ealaín an scéil ghairid a fhoghlaim feasta agus gan focal Béarla a léamh. Féadaidh daoine a rá go raibh an Piarsach ina scéalaí mhaith. Is beag scéalta Gaeilge a scríobh an Piarsach uilig. Ní do litríocht a thug sé a shaol. Admhaím go bhfuil bunús a chuid scéalta ar fheabhas. Ach ní raibh a sháith eolais ar an tsaol aige le litríocht mhór a scríobh.

Níorbh amhlaidh do Phádraic Ó Conaire é. Tá scol-áirí bochta agus iascairí, lucht taispeántas siúil, agus mairnéalaigh a shiúil na seacht muir, agus ceoltóirí, agus easpaig, agus saighdiúirí, agus filí, agus fealsúna, agus fiche cineál ban—tá sin ina chuid scéalta. Tá oiread den tsaol ina chuid scéalta agus go léifidh gach aon chineál daoine iad. Tá eolas beacht aige ar nádúir an duine, eolas chomh beacht agus gur leor leis leide a thabhairt dúinn.

Scríobh sé Gaeilge ghlan, fhurast. Ní raibh sé tugtha d'fhocal ar bith a chur isteach nach raibh riachtanas leis. I ndeireadh a shaoil bhí a chuid Gaeilge ag éirí lag. Cuireadh síos dó nach raibh an Ghaeilge ó dhúchas aige; ach scríobh a dhearthair litir chuig *An Claidheamh Solais* agus cheartaigh sé sin. D'fhéadfadh duine a aithne ar na chéad scéalta a scríobh sé go raibh an Ghaeilge ó dhúchas aige; d'aithneodh súil ní ba ghéire ná sin ar chuid de na focail atá aige—focail éagoitianta i gcaint na ndaoine nach gcastar ar an té atá ag fogh-laim—d'aithneodh sé gurbh í an Ghaeilge an chéad teanga a fuair sé.

Mheas mé a chuid scéalta agus a chuid leabhar san aiste seo de réir mar a casadh orm iad. Níl feidhm an chuid sin a aithris an dara huair. Ach ní bheadh dochar dom a rá ar deireadh go raibh na buanna aige a bhíos ag gach scríbhneoir mór : samhailt mhór, agus tuiscint ar an nádúir dhaonna, agus an bhua a fhágas gach dá scríobh-faidh sé soiléite, agus ealaín na scéalaíochta. Bhí an locht air a bhí ar éigse na hÉireann le céadta bliain anuas: níor scríobh sé go leor. Tá an tír seo beag; tá sí bocht; ní bhíonn an tsuim i leabhair a ba chóir a bheith iontu; agus ní bhíonn an fhaill ag scríbhneoir a oiread a scríobh agus thiocfadh leis. Dream cainteach na hÉireannaigh, fosta, agus an té a níos an comhrá ní dhéanfaidh sé an scríbhneoireacht. Dá laghad cuid scríbhneoireachta Phádraic, scríobh sé ní ba mhó de litríocht mhaith ná a rinne scríbhneoir Gaeilge ar bith leis na céadta bliain.

Thug sé a shaol do litríocht. D'fhulaing sé anró agus fuair sé bás go hóg ar mhaithe le litríocht. Is uaisle liomsa a shaol agus a ghníomhartha agus a bhás ná saol agus gníomhartha agus bás an laoich a thit ar son na tíre, nó an naoimh a ghuigh ar son na ndaoine. Tuigtear daoine a saol a thabhairt do chogadh nó do chreideamh; ach is uaigneach bealach an fhile:

> Agus na tíortha bheith ag fanóid
> Fa gach rabhán dá ndéan tú 'cheol.

Tiocfaidh scríbhneoirí ina dhiaidh agus léifidh siad a chuid scéalta agus cluinfidh siad iomrá a shaoil; agus tiocfaidh meanma agus uchtach chucu agus leanfaidh siad den bhealach ar lean sé de, d'ainneoin na ndaoine nach dtug cuairt air ar leaba a bháis, agus nach gcuirfeadh cloch ina leacht.

FILÍ MÓRA CHÚIGE ULADH

SÉAMAS DALL MAC CUARTA

TÁ sé de chlú ar an Dall Mac Cuarta gurbh é an file é a ba mhó de chuid Chúige Uladh, ar scor ar bith ó Chionn tSáile anall. Creidim gur sin an fáth a bhfuil gach aon údar i bhfáth lena chruthú gur ina dhúiche féin a rugadh é. Deir Anraí Ó Muirgheasa gur as Fearnmhaigh i gContae Mhuineacháin é; deir Seosamh Laoide gur as Contae na Mí é; agus maíonn an Sagart Ó Muireadhaigh gur as Ó Méith é. Is é an sagart is dóiche a bheith ceart, nó níl amhras ar bith ná gur chaith Mac Cuarta seal fada dá shaol fá Ó Méith. Ar scor ar bith, ó tharla nach bhfuil na húdair ag teacht le chéile ar an cheist, níl ann ach am amú a bheith ag trácht uirthi. B'as Deisceart Uladh é, agus is leor sin. Nuair atáimid ag meas a chuid filíochta agus a shaol, ní fheicim gur cabhair ar bith dúinn fios a bheith againn cé an baile ar tógadh air é. Ní le haois ar bith nó le dream ar bith daoine file mór dá chineál, ach le gach glún dá bhfuil le teacht, agus le hÉirinn uilig agus lena clann.

Ba é an rud a d'fhág chomh doiligh a dhéanamh amach an áit ar tógadh é, é bheith ina sheádaí agus ina sheachránaí mhór. Bhí dálta chuid filí na haimsire sin uilig air; ní raibh an t-ollmhaitheas ná an urraim aige a bhíodh ag na héigse a tháinig roimhe, agus ní raibh an áilleacht ná an ríúlacht ina thimpeall a ba mhian leis, agus d'imigh sé ar na bóithre a chuartú na haislinge. Is léir dúinn óna chuid cumadóireachta féin gur mhinic in Ó Méith é, ag a chara Niall Óg Mac Murchaidh, a dtugtaí an Bodhrán Mac Néill air. Agus níl amhras ar bith ná thugadh sé corr-ruaig anonn go Contae Ard Mhacha ionsar Phádraig Mac Giolla Fhiontain, fear de na filí a ba chlúití fán chumar sin. Chaith sé seal i ndeireadh a shaoil suas fá Bhaile Lú. Creidim, leoga, nach bhfuil mórán áiteanna i nDeisceart Uladh nár shiúil a chos am éigin ina shaol.

Rud coscrach duine dall ar shiúl ó dhoras go doras, agus bhí sé ní ba choscraí nuair a bhí sé ina fhile agus ina fhear fhoghlamtha éifeachtach—ina fhear iomlán dá mbíodh an t-amharc aige. Bheir seo orainn suim ar leith a chur i Séamas Mac Cuarta. Fágadh easpa air, agus ar a shon sin fuair sé tíolaca nach bhfaigheann mórán. Is leis ba chóir a rá:

> *"He fled for shelter to God, who mated his soul with song."*

Ba é a chuid daille an rud a ba mhó a d'fhág lorg ar a shaol. Ba é ba chúis leis an dán a ba mhó a chum sé:

> Fáilte don éan is binne ar craoibh
> Labhras ar chaoin na dtor le gréin;
> Domhsa is fada tuirse an tsaoil
> Nach bhfeiceann í le teacht an fhéir.

Tá an chaint atá sa dán seo beacht uasal, liteartha. Níl aon líne ann nach bhfuil an ceol brónach ann a fhóireas don smaoineamh: an brón uaigneach foighdeach a bhíos i gcroí an té ar leag Dia lámh air. Mura mbeadh ann ach an t-aon fhocal sin "tuirse", tá iomlán an bhróin nochta go soiléir aige. Sa treas ceathrú is truacánta a chanas sé ar a chaill:

Gach neach dá bhfeiceann cruth an éin,
Amharc Éireann deas is tuaidh,
Bláth na dtulcha ar gach taoibh
Dó is aoibhinn bheith dá lua.

Nuair a smaoinimid nach raibh Séamas Mac Cuarta in inmhe Éire a fheiceáil, go siúladh sé bóithre Ó Méith agus nach bhfeiceadh sé an fraoch ag dealramh ar Bharr an Fheadáin, nó solas na spéire á chruinniú ina chaor gheal ar an Ghrianphort, nó ceo gorm draíochta ar Chaisleán Ruairí, is ann a thuigimid a gceart an brón atá sa chaint seo. Agus nuair a smaoinimid go raibh anam agus intinn file ann, agus nach raibh rud ar an tsaol ab ansa leis ná áilleacht an domhain, ní féidir a insint an chumha a chuireas an dán seo orainn.

Tá an cruth a bhfuil an dán seo ann—an rud a dtugann siad Trí Rainn agus Amhrán air—tá sé iontach fóirsteanach. Tá sé cosúil leis an *Sonnet* atá sa Bhéarla, agus cruth maith atá ann le cur ar aon smaoineamh amháin. Ba mhinic Mac Cuarta ag déanamh úsáide de, agus thiocfadh leis a láimhdeachas ní b'fhearr ná file ar bith eile. Cá bhfaighfeá caint ní ba státúla ná atá sa dán a rinne sé fán lon a báitheadh i dtobán an aoil?

A iníon álainn Chuinn Uí Néill,
Is fada do shuan tar éis d'áir,
'S nach gcluin uaisle do chine féin
Thú ag caoineadh do spré tar éis a bháis.

Agus ansin bheir sé líne dúinn a bhfuil ceol tiubh lúcháireach na n-éan ann ó thús go deireadh:

Ceiliúr na n-éan glórach luath
Do theastaigh ó do lon bhán.

Agus deir sé san amhrán ar deireadh:

Fuirigh mar táir, is fearr é ná imeacht le baois
Fá d'éan beag ab áille gáire ar éanlaith na gcraobh.

Ar scríobhadh riamh caint ní ba liteartha, ceol ní ba bhinne, nó focail a ba mhó a raibh dealramh na filíochta iontu?

Chum sé cupla dán eile sa chruth seo, mar atá *Uaigneach Tithe Chorr an Chait* agus *Gearrán Bhriain Uí Bheirn*. Tháinig sé isteach lá amháin i dteach, amuigh i gCorr an Chait, thuas sna cnoic os ceann Ó Méith, agus ní bhfuair sé aon duine istigh roimhe. Thuig sé gur i bhfolach a bhí bunadh an tí, agus thosaigh sé:

Uaigneach tithe Chorr an Chait,
Is uaigneach a bhfir 's a mná,
'S dá bhfaighidís ór is fíon
Nach dtig aon díobh i gcionn cháich.

I gcionn cháich cha dtig siad
Ar ar cruthaíodh thiar is thoir,
Ar ar cruthaíodh ó neamh go lár;
Ionann sin is béasa an bhroic.

Béasa an bhroic bheith ag tochailt faoi
I ndorchadas oíche is lae,
Ar ar cruthaíodh ó neamh go lár
I gcionn cháich cha dtig sé.

Ní hionúin leis an ríbhroc aoibhneas aiteas ná spórt,
Ní hionúin leis saoi, draoi, ná cumadóir ceoil,
Ní hionúin leis Séamas Caoch ná caidreamh Néill Óig—
Is fanadh gach aon mar a mbí, ag tochailt an phóir.

Is minic a bhíos duine goilliúnach, nach bhfuil sásta dá dhóigh, géar sa teanga; agus ba ghasta a tháinig sé tríd cheann Shéamais nach raibh fáilte sa teach fá choinne an daill bhoicht dhearóil.

Níl *Gearrán Bhriain Uí Bheirn* chomh géar nó chomh nimhneach sin. " Punch " an t-ainm a bhí ar an ghearrán agus is deas greannmhar a bhaineas Mac Cuarta úsáid as an ainm sin :

B'fhearr liom gearrán Bhriain Uí Bheirn
Fúm do m'iompar ins gach ród,
Ná déanamh leis mar ní na Gaill,
Bheith ar scála cruinn is iad dá ól.

B'fhiúntaí liomsa gearrán Bhriain
Fúm thart siar 's amuigh fán Bhóinn,
Ná dul á mheascadh ar eagán mias,
Fear dá dhíol is dís dá ól.

'S iomaí duine ler cailleadh a chiall
I mBaile Átha Fhirdia 's i mBaile Átha Troim;
Ní lia ná racán i mBaile Átha Cliath,
Ag ól fá ghearrán Bhriain Uí Bheirn.

Is iomaí tiarna, iarla is ridire ard,
Barún is biatach, cliar is ministir sálm,
Fán ghearrán sin Bhriain le bliain dá shlogadh ar
chlár,
'S go gcaillid a gciall ag iarraidh coda de 'fháil.

Luaitear dhá fhile mar chairde ag Séamas Mac Cuarta : Niall Óg Mac Murchaidh as Tulaigh Ó Méith, agus Pádraig Mac Giolla Fhiontain as Contae Ard Mhacha. Nuair a bhíodh sé ag baint faoi in Ó Méith, ba mhinic i gcuideachta Néill Óig é. Is iomaí agallamh ceoil a bhí acu, agus tá ceann amháin acu go háirid atá níos fearr ná dán ar bith eile dá chineál dá gcuala mé. Iníon do Niall Óg a fuair bás, agus leis an chumha stad sé de dhéanamh ceoil. Tháinig an Dall chuige agus labhair sé leis :

Créad fár thréigis cumadh an cheoil,
A Thulaigh na gcorn le hais craobh?
Aithris dúinn, is coisc do dheor,
Ábhar do bhróin, a chnoic chaoimh.

Arsa Niall :

Ní cian domhsa do bheith dall
Nuair nach dtuigir léan mo dheor;
Ábhar mo ghoil go dtí an bráth
M'iníon bhláith ag dul dá róimh.

D'iarr Mac Cuarta air foighid a bheith aige agus cuimhneamh ar Iób. Ach bhris an caoineadh ar Mhac Murchaidh go fíorfhiliúnta :

Screadaidh gach éan fána nead,
'S do rinne Iób greagnadh cruaidh;
Do ghoil Máire 's Márta ar Íosa
Fá Lásarus a bhí san uaigh.

Chan an Dall ansin ceathrú chomh filiúnta agus a chan sé riamh :

A Thulaigh na gcraobh nár thuill guth
Dar bhinn ríogain cruit is cuach,
Ná caoin neach dá bhfaighidh bás :
Is éigean do chách dul san uaigh;

Cuireann sé i gcuimhne dó na fir mhóra a d'imigh:

Caesar is Alastran a ghabh neart
Ó éirí go stad den ghréin—
Solamh, Samson—fiafraím díbh
Cé tháinig díobh ar ais ón éag?

Agus is nádúrtha daonna freagra Néill:

Mó an scéal Eilís domh ná iad,
M'iníon chiallmhar shoilbhir ghráidh;
A rosc mar oighre, a folt mar ór,
'S gan agam dá sórt ach í amháin.

Mar an gcéanna insíonn Niall Óg a bhuaireamh dúinn i ndeireadh an dáin:

Mo scáthán, mo shaibhreas, mo cheol,
Mo róghrá, mo bheo, mo bhia;
Gan agam ach í anois dá sórt,
Moch liom fós í dul le Dia.

Seo dán chomh coscarthach agus atá sa Ghaeilge, agus is í leath Néill Óig an leath is fearr. Thiocfadh dó, cinnte go leor, gurbh é Mac Cuarta a rinne uilig é. Más é Niall Óg Mac Murchaidh a rinne a leath, níl an chlú air a ba chóir a bheith air.

Tá cúig agallamh i bprionta a tharla idir Mac Cuarta agus Pádraig Mac Giolla Fhiontain. Tá amhrán fada againn, *Faoi Mhala Shliabh Crúb,* ina gcuirtear Contae Ard Mhaca agus Contae Lú i gcosúlacht le chéile, gach aon fhear acu ag moladh a cheantar dhúchais féin. Ní hé an chuid is fearr den litríocht é, agus ina dhiaidh sin tá corrghiota filiúnta ann. Deir an Dall i gceathrú fhiliúnta amháin:

Ní hé sin an cleachtadh fuair mise ins an dún,
Dá dtigeadh chun snua gach gráinne,
Ach cruithneacht agus plúr acusan le clú
Dá scabadh agus úrleann Márta.

Ach níl mórán filíochta sna hagallaimh seo. An dóigh ar cumadh iad—b'fhéidir an dá fhile ansin os coinne a chéile agus scata ag éisteacht leo—ní thiocfadh dóibh snas liteartha a bheith orthu. Ní raibh an fhaill acu le bheith ag smaoineamh go domhain. Chaithfeadh an mheadaracht a bheith furast, sa dóigh nach gcuirfeadh sí mórán moille ar an fhile. Chaithfeadh na smaointe a bheith sothuigthe, agus fóirsteanach don tslua.

Deirtear go dtáinig Toirdhealbhach Ó Cearbhalláin trasna na hÉireann ar cuairt chuig Mac Cuarta. Tá cuid mhór den tseanchas a bhí acu le fáil ag na seandaoine in Ó Méith go fóill. Deir siad gur sheinn an Dall ar an chláirseach do Chearbhallán agus gur dhúirt seisean sa deireadh :

" Is binn bog bréagach a sheinneas tú,"

Agus gur fhreagair an Dall é :

" Is minic a bhíos an fhírinne searbh."

Bhí cuid mhór cainte ina dhiaidh sin acu ag cur ceisteanna cruaidhe ar a chéile agus ag déanamh ceoil ag cáineadh a chéile—ach nár cháineadh a gcáineadh, mar nach raibh siad dáiríre. Is dóiche go raibh comhrá caradach acu le chéile, nó bhí an bheirt dall agus bhí siad ina bhfilí, agus creidim gur mhinic ar aon smaoineamh amháin iad.

Tráchtfaimid anois ar an taobh a ba bhrónaí de shaol

Shéamais Mhic Chuarta. Dall is mar bhí sé, bhí pléisiúr mór aige as a chuid filíochta agus a chuid siúil, agus as an chumann a bhí idir é féin agus filí eile. Is aoibhinn linn a chluinstin ag moladh cheol na n-éan, nó ag trácht idir shúgradh is dáiríre ar an lon a bhí ag iníon álainn Choinn Uí Néill, nó ar ghearrán Bhriain Uí Bheirn. Ach ní bhíodh an solas ciúin lonrach sin ina chroí i gcónaí. Tá dánta coscracha ina dhiaidh a bheir le fios dúinn cad é an criathrú a thug an saol dó. Is creathnach an t-amhrán *Scanradh an Daill*:

A dhaoine, nach trua libh mé 'mo thruaill bhocht ag éagaoin?
Tá mé anocht faoi ghruaim 's gan m'fhuascailt ag éinneach,
Fá na hocht nginí dhéag do bhí mise a chumhdach
Gur fuadaíodh go léir iad ón chréatúr gan súile.

Cibé neach a rinne mo dhíobháil, nó chuir daoine le chéile,
Nó a shalaigh Lios Caomháin, Dia díleas 'na dhéidh air,
Mallacht na naomh air, is lomdhíobháil a chéille air,
Go n-aidmhí sé na gníomhartha-sa i bhfianaise fhear Éireann.

Tá ceathair nó cúig de cheathrúna eile ann, ag mallachtaigh ar an ghadaí, agus dá gcluineadh sé an ceann deireanach bheadh a chroí ina chliabh chomh cruaidh le carraig nó bhéarfadh sé an t-airgead ar ais don fhile:

Lá an bhreithiúnais beidh na slóite ag Rí an Domhnaigh dá gcuntas,

Is tífidh tú Mac na hÓighe ag roinnt glóire ar a
mhuintir,
Beidh tú 'do dheoraí 's beidh tóir ag na haingle ort:
Cha ligeann siad dá gcomhair thú agus lón bocht
an daill leat.

Is tostach bogtha a bheas duine i ndiaidh an dán seo a léamh, i láthair an rud is scáfaire ar an tsaol: duine dearóil a ndearnadh éagóir air ag screadaigh ar Dhia ag iarraidh díoltais.

Duine a mbíonn saol corrach aige, de réir mar a bhíos sé ag éirí aosta sin mar is measa a bhíos sé ag éirí. Is bocht an t-amharc an Dall, agus a chairde ag imeacht roimhe chun na huaighe, agus é ar shiúl ina éan bhocht scaite, ar shiúl, mar dúirt sé féin, " i ndorchadas oíche is lae." Tá mairgneach mhór fhada aige fá bhás Néill Óig i 1714.

"An croí nár mheathach chun caife gach a bhfuairis."

Ní hé an chuid is fearr dá chuid filíochta é. Aon chineál amháin é féin, *Tuireadh Shomhairle Mhic Dhónaill* agus *Caisleán an Ghlasdromáin.* Tá tuilte iontu cosúil leis an chineál a scríobhadh cuid filí na Mumhan. Ach is fearr líne amháin de *Fáilte don Éan* ná an triúr acu. Ní hé sin den Mhairgneach é a rinne sé fána bheirt deartháireacha, Ruairí agus Brian, a fuair bás i 1717:

A dhearthiáir mhuirnigh, an gcluin tú an chuach?
Éirigh suas agus éist lena tafann.
A chródh-fhear dá dhísleacht mo choim,
An dóigh leat gur mian leat mo scarúin?
Créad fár dóigheadh mo chroí leat,
Mar smál ghrís nó suth salach?
Agus a Ruairí, ach mura n-éirír in am,
Nach trua leat dílleacht ar seachrán?

Nach bhfeiceann tú Brian tar éis a bháis,
Le ar goineadh tarmhainn mo thromghráidh?
Nó mise 's gan léarsa in mo cheann,
'S nach trua libh éimheach an tseandaill?
Freagraidh do m'éimheach in am,
'S nach furas éisteacht le donán;
Gairid bhur ndílleacht do bhur gcomhair,
Is ná dearmadaidh sibhse an bhochtóg.

Canann sé ar gach duine dar fágadh go cumhúil riamh, ó iníon Lir agus ó Chonall Chearnach anall. Ní raibh aon duine acu chomh scoite leis féin:

Ní mé Nuala ag gol sa Róimh
Ar uaigh na dtrí seanóir;
'S ní raibh iníon Uí Dhónaill dall,
Gidh gur caoineadh a brón a lua ann.

Téid na blianta thart agus fuaraíonn a chuid fola leis an aois. Éiríonn na bóithre dorcha níos aimhréití. Imíonn a chairde, duine i ndiaidh an duine eile. Cailleann an file an greann, agus ní bhíonn an fháilte roimhe a bhíodh. Tig an bhreoiteacht air. Cluinimid a ghuth ag teacht chugainn go fann ó leaba an bháis:

Is fada mé 'mo luí i Lúbhaidh
'Mo scraiste bhrúite, mo mhíle crá!
Dúisigí, is cruinnigí na seabhaic lúfara,
'S iompraigí an t-úrmhac i gcúil na gcnámh.

Síntear síos mo thaobh le Ruairí,
Mar a bhfuil mo chuallaí, Brian Bán;
'S tá siad an dís ann 'na luí ar uaigneas—
Cuir idir fhuacht mé is corr den chlár.

Insíonn sé an t-aithreachas atá air fán tsaol gan úsáid a chaith sé, ar shiúl ó áit go háit ag filíocht. Ach as a dheireadh bheir sé a leagan amach féin dúinn :

> Ach má théim go flaitheas, a Rí na ngrása,
> Cérbh fhearr 'mo thámh mé ná ag déanamh ceoil?

Creidimid go bhfuil an ceart ansin aige, go raibh Dia sásta dó. Rinne sé úsáid mhaith den bhua a fágadh aige, agus d'fhéadfaí a rá leis mar a dúirt file an Bhéarla leis an dochtúir :

> *And sure the Eternal Master found*
> *The single talent well employed.*

Deir an Sagart Ó Muireadhaigh gurb é an Baile Nua, a dtráchtann sé san amhrán seo air, an baile beag i gCuailgne a dtugann siad Newtownbagenal sa Bhéarla air anois; agus deir sé gur dóiche gur cuireadh ansin é ag taobh Bhriain agus Ruairí, agus Néill Óig Mhic Mhurchaidh.

Mar a dúirt mé cheana féin, tá sé ráite go coitianta gurb é Séamas Mac Cuarta an file is mó de chuid filí Chúige Uladh. Sin barúil na n-údar a scríobh air, agus barúil na bhfilí a bhí beo lena linn, agus is fiú dúinn dearcadh go géar uirthi. Bhí filí eile in Ulaidh a rinne dánta a chuirfeadh a oiread aoibhnis ort agus chuirfeadh dán ar bith de chuid Mhic Cuarta, mar a bhí, Peadar Ó Doirnín agus Cathal Buí Mac Giolla Ghunna. Ach ní hionann an t-aoibhneas a chuireas siad ort. Bhí sé ar an fhear dheireanach de na seanfhilí. Níl bearna ar bith idir an laoi Fiannaíochta, *A bhean, beir leat mo léine,* agus *A Iníon Álainn Choinn Uí Néill.* Tá dán Mhic Cuarta níos séimhe, sin a bhfuil ann.

Bhí sé dall, agus b'iomaí rud ar chosain díobháil an amhairc air é. Choinnigh sé ag comhrá lena intinn féin é agus ag meabhrú ar smaointe arda uaisle. Ní chluinimid ag moladh ólacháin é ach go hannamh. Is beag a thrácht-as sé ar áilleacht ban. Is fearr leis ag caint ar " cheiliúr na n-éan glórach luath," agus ar " bhláth na dtulcha ar gach taoibh." Tá sé leis féin, scaite amach ón scaifte, ag siúl go soineanta ar na bóithre, ag éisteacht leis an " éan beag ab áille gáire ar éanlaith na gcraobh," agus ag smaoineamh ar an áilleacht atá fá dtaobh de " le teacht an fhéir." Tá an bhua aige nach mbíonn ach ag an chuid is mó de na filí; tá sé ina fhealsamh mhór.

Tháinig sé as ceantar uasal, ceantar Chuailgne a bhfuil trácht air sa Táin. Más ní go bhfuil sé curtha sa reilig bheag sin i gCuailgne, cér chórtha do dhuine eile? Tá áilleacht mara agus tíre ina thimpeall ansin agus ceiliúr na n-éan os a chionn mar d'iarrfadh a bhéal a bheith. Agus maireann géimneach an Donn Cuailgne i gcúl na macalla fá na gleanntáin; agus b'fhéidir go bhfuil an t-amharc ag Mac Cuarta anois agus go bhfeiceann sé Cúchulainn ina charbad ag tabhairt tarrthála ar an Chraobh-Rua agus iad i nguais ar Mhagh Mhuirtheimhne.

PEADAR Ó DOIRNÍN

INA leabhar, *The Hidden Ireland,* deir Dónall Ó Corcora an chaint seo:

> *In South Ulster, in spite of its literary activity, the break with the past is noticeable. Anonymous singers in Munster wrote a more refined type of lyric than the most famous poets of this school.*

Tá an ráiteas deireanach seo chomh héagórach agus nárbh fhéidir go ligfí leis é go dtí an t-am seo de lá; agus níor ligeadh. Níl mise ag gabháil a rá mórán faoi sin; ach is é mo bharúil go bhfuil beagán inráite fán chéad abairt. Is dóigh liom go raibh Dónall Ó Corcora deas don fhírinne ar dhóigh nár shamhail sé ar chor ar bith. Sílim go raibh an "break with the past" i gCúige Uladh, nó ar scor ar bith go raibh a thús ann. D'ainneoin scoileanna na mbard, bhí cuid filí Chúige Uladh ag briseadh ar shiúl ó na seanrialacha agus ó na seansmaointe. Ní comhartha laige a bhí ansin ach comhartha urraidh agus bisigh. Nuair a d'imigh Mac Cuarta d'imigh an file mór deireanach den tseandream. Tháinig ina dhiaidh Peadar Ó Doirnín, an file a rinne *Triamhain na Máthara fán Leanbh.*

B'fhéidir go bhfuil sé ródhána a rá gur leor an dán seo lena chruthú go raibh athrú ag teacht ar an litríocht. Is fíor an seanfhocal a deir go "sciordann éan as gach ealt," ach is deacair gan smaoineamh gur tús athraithe é, gur síol a bhí ann ar dhual dó barr a theacht as agus nach gas lustain sa bharr a bhí aibí. Tá sé ina éan chorr i measc véarsaí státúla an Dáin Dírigh, na Trí Rainn agus Amhrán, na haislingí, na hamhráin ag moladh na mban, na caointe agus na hagallaimh a bhí á gcumadh roimhe agus lena linn. Tá an smaoineamh nua. Tá an scéal nua. Bean atá ag caoineadh a linbh, a mharaigh cuid saighdiúirí Chromail, agus is seo mar labhras sí :

Nach mairg dom ad éis,
A leanbáin na gcraobh,
Nach ndeachaigh mé ar teitheadh leat,
A leanbáin mo chléibh?
Nuair a tháinig siad go ndíth,
Uch ! nár nocht mé mo chlí
I ndúil go maothfainn iad,
A leanbáin mo chléibh !

Ansin tig ceathrú orainn atá chomh coscrach agus gur deacair í a léamh, ag insint fá shoineantacht an linbh bhig i láthair an bháis :

Bhí aoibh ort le do námhaid,
A leanbáin na gcraobh !
Bhí aoibh ort le do mháthair
A leanbáin mo chléibh !
Is cumhain liom do gháire
Nuair a stialladh ó mo lámha thú
D'aimhdheoin do cháile-sa,
A leanbáin mo chléibh !

Cá ndeachaigh ár gcáirde,
A leanbáin na gcraobh?
Táid 'na luí gan áird,

A leanbáin mo chléibh!
Táid uile ins an uaigh,
Na curaidh chalma chruaidh
A dhéanfadh ár an tsluaigh duit,
A leanbáin mo chléibh!

Ansin tig cuntas ar an ghníomh scáfar a chuireas ár gcuid fola is feola tríd a chéile:

Tholl siad do lár-sa
A leanbáin mo chléibh!
Is tú in mo lámha,
A leanbáin na gcraobh!
Do goineadh mo chlí,
Óir chuaigh an ga go ndíth,
Is do ling fuil do chroí,
A leanbáin mo chléibh!

Do chonacas do dhaorphian
A leanbáin na gcraobh!
Ní aithrisim mo phian-sa,
A leanbáin mo chléibh!
Do throid mise leo,
Níor shuim liom mo bheo,
Thoghfainn bás sa ghleo,
A leanbáin mo chléibh!

Do cheangail siad le crann mé,
A leanbáin na gcraobh!
Ionas go bhféachfainn d' anchruth
A leanbáin mo chléibh!
Bhí tú ar bharr an phíce,
'S do chuala mé do chaoi-se,
'S do réab sin mo chroí-se,
A leanbáin mo chléibh!

Níl dán ar bith sa Ghaeilge cosúil leis seo. Tá sé chomh tobann, chomh tárnochta, agus chomh tréan agus nach bhfuil a fhios agam cad é a déarfaidh mé leis. An de thaisme a chum Peadar Ó Doirnín é? An guth a tháinig as a bhéal nach raibh neart aige air? Ar léigh sé i mBéarla filíocht éigin a bhí cosúil leis seo? Nó ar thuig sé go raibh athrú riachtanach i bhfilíocht na hÉireann, agus go raibh mórán ábhair filíochta nach raibh filí ag baint leo, agus go raibh sé riachtanach an mheadaracht a bheith ag cur leis an smaoineamh ní b'fhearr ná bhí sna seanamhráin? Is deacair a rá. Ach reath an dán seo as dúchas ar scor ar bith.

Ní fios dom dán ar bith eile de chuid Pheadair Uí Dhoirnín atá glan athscartha óna am mar atá an ceann seo. Sa méid eile dá chuid oibre atá i bprionta, tá sé cosúil go leor leis an aois ar mhair sé inti. San am chéanna tá dreach di féin ar a chuid filíochta. Tá binneas focal aige, agus aoibhneas samhailte. Tabhaíonn sé go maith an moladh a thug Art Mac Beanaid dó:

Cá bhfuil an mhil a bhíodh 'tonnadh anuas
Le Doirnín na gcuach 's na siolla mín?

Seo cuid den mhil sin agus, más ea, is blasta:

A ainnir chiúin na gciabh, teana liom is triall
Ar astar go Sliabh Féilim,
Mar nach dtig 'n-ár ndiaidh caraid nó cliar
Nó neach ar bith faoi chian buartha;
Beidh mise duit mar sciath chosanta ar gach cian,
A lile mar an ghrian ag éirí;
Mhuirfinn duit mar bhia an torc alla agus an fia,
'S dhéanfainn cathair duit san fhiair chraobhaigh.

Tá an dán glan geal lonrach seo lán de dhraíocht, lán den áilleacht mheallacach a bhíos i rudaí i bhfad uainn, i ndroim mara le luí gréine, nó i mala shléibhe, nó i lochán uaigneach i ngleann. Agus cé eile a dtiocfadh leis an líne seo a chanadh ach é féin?

> 'S dhéanfainn cathair duit san fhiair chraobhaigh.

Bhí bua ar leith ag Peadar ag déanamh amhrán ag mealladh daoine chun siúil. Bhí a chroí istigh sa tsiúl. Instear dúinn gur éalaigh sé tríd Chonnachta agus Chúige Mumhan agus gur chaith sé bliain go leith ag tabhairt cuairte ar na scoileanna ansin. Creidim go bhfaca sé na scoileanna uilig, ach ní dóiche gurbh iad a mheall chun siúil é. Cé ea, bhí coimhlint aige le file a bhí ina cheantar dúchais, agus fuair an file a bhua, agus d'imigh Peadar go bhfaigheadh sé greim ní b'fhearr ar ealaín na filíochta. Ach tá geasa ar an tsiúl féin, gan trácht ar a dhath eile. Bhí aisling roimhe sa ród a bhí á tharraingt ón áit a raibh siúl daoine. Ba sin an smaoineamh a ba bhuaine a bhí ina intinn, an solas geal glórmhar a bhí i gcónaí ag cur ga tríd néalta a aigne, agus á chreach le mianta gur nochtadh go hiomlán é in *Úrchnoc Chéin Mhic Cáinte,* dán de na dánta is míne canúint agus is binne ceol dar cumadh in Éirinn riamh.

> A chiúinbhean tséimh na gcuachann péarlach,
> Gluais liom féin ar ball beag,
> Nuair bhéas uaisle is cléir is tuataí i néal
> Ina suan faoi éadaí bána;
> In uaimh go mbéam i bhfad uathu araon,
> Teacht nuachruth gréine amárach,
> Gan ghuais linn féin in uaigneas aerach
> San uaimh sin Chéin Mhic Cáinte.

An chéad líne de a léimid, cuireann sí ag súil le dán péarlach lonrach muid, agus ní dúil gan fháil sin. Is deas an dóigh a bhfíonn sé an Ghaeilge; ceardaí mór focal a dtig leis ráite cosúil le "nuachruth gréine" agus "uaigneas aerach" a chumadh.

A rún mo chléibh, nach mar sin ab fhearr duit
Tús do shaoil a chaitheamh liom?
'S gan bheith i gclúid faoi léan ag búr gan chéill
I gceann túirne is péire cardaí.
Gheobhair ceol na dtéad ar lúth na méar
Do do dhúscadh is bhéarsaí grádha,
'S níl dún faoin ghréin chomh súgach aerach
Le hÚrchnoc Chéin Mhic Cáinte.

Is iomaí véarsa a canadh fá mhná, a oiread agus go sílfeá go raibh deireadh ráite sula dtáinig Peadar i dtreis. Ach éistigí leis seo:

A phlúr na maighdean is úire gné
Fuair clú le scéimh ón Ádhamhchlainn,
A chúl na bpéarlaí, a rún na héigse,
A dhúblas féile is fáilte,
A ghnúis mar ghréin le dúscadh an lae
A mhúchfadh léan led gháire,
Sé mo chumha gan mé 's tú, a shiúr, linn féin
Sa dún sin Chéin Mhic Cáinte.

Níl scríbhinn mhór ar bith nach mbíonn ag dul chun áille go deireadh, agus is é sin don amhrán seo é. Sa cheathrú dheireanach tá caorthacha geala solais, mar bheadh soilse samhraidh ann, samhailteacht a thig agus a imíos chomh tiubh le réalta ag titim:

Cluinfir uaill na ngadhar le luas i ndiaidh
Bhriain luaimnigh bhearnaigh i bhfásach,
Fuaim guth béilbhinn cuach is smaolach
Suáilceach ar ghéagaibh áltán,
I bhfuarlinn tséimh ag lúbadh an éisc
Ag ruagadh a chéile sa tsnámh ann,
'S an cuan gur léir duit uait i gcéin
Ó Nuachnoc Chéin Mhic Cáinte.

Is iomaí file a bhaileodh a bhfuil d'aidiachtaí sa Ghaeilge, ag trácht ar an radharc a bhí ón chnoc sin, nach mbeadh a oiread ráite aige i ndiaidh an iomláin.

Is iad na trí hamhráin seo na rudaí is fearr den méid a chonaic muid i gcló de chuid filíochta Pheadair Uí Dhoirnín. Fágadh *Neillí Bhán* air, fosta, agus tá daoine áirithe inbharúlach gurb é a rinne *Séamas Mac Murchaidh*. Ach ní shamhlóinn gurb é a chum ceachtar acu. Ní féidir a bheith cinnte fá na gnaithe ar scor ar bith. Tá amuigh is istigh ar thrí dhosaoin dánta eile ina dhiaidh agus a mbunús ina gcodladh i lámhscríbhinní, más mór an trua é. Ba mhaith linn níos mó iomrá ná sin a chluinstin ar " Dhoirnín na Séad."

Níl sé furast a mheas cad é an áit a ba chóir a thabhairt do Pheadar Ó Doirnín i measc chuid filí na hÉireann. Níl séanadh le déanamh air gur file mór a bhí ann. Ach ní hé is mó. Is é is áille! is é is míne caint agus ceol. Imíonn sé i bhfad i ndoimhneas na spéire, mar níos an fhuiseog lá earraigh nó maidin i dtús an tsamhraidh.

Dálta Shéamais Mhic Chuarta, bítear ag díospóireacht fán áit ar rugadh é. Dúirt Seán Ó Dálaigh gur as Tiobraid Árann é, agus chuir sé *Sliabh Féilim* i gcló mar amhrán Muimhneach in *The Poets and Poetry of Munster*. Dar liom go bhfuil sé le haithne ar *Sliabh*

Féilim gur Ultach a rinne é. Tá a oiread eolais san am i láthair againn ar Pheadar Ó Doirnín agus go bhfuil a fhios agam go maith nach as Tiobraid Árann é. Tá cuntas iomlán scríofa ar a shaol ag Graham agus ag Mac Uí Chearnaigh. De réir na n-údar seo, tháinig sé chun an tsaoil i Ráth Sciathach in aice Dhún Dealgan, agus chaith sé deireadh a shaoil fán chumar chéanna, ag teagasc scoile i bhFoirceall ag críoch Ard Mhacha, agus fá ghiota beag den chnocán sin ar chuir sé a chlú fada leitheadach, *Úrchnoc Chéin Mhic Cáinte.*

Instear dúinn gur lig sé na páistí amach a dhéanamh cuideachta lá amháin agus gur shuigh sé síos a dhéanamh a scíste. Shuigh, creidim, agus é tuirseach. Bhí an aois ina chnámha. Bhí an dealramh ag imeacht as an domhan. Is furast dúinn a shamhailt, ina shuí ansin agus lámhscríbhinn aige, leabhar Gaeilge nó seandán de chuid na Gréige nó na Róimhe—agus é ag brionglóidigh fá na blianta fada a bhí taobh thiar de. Shiúil sé cuid mhór ar fud Chúige Uladh agus Chonnacht agus Chúige Mumhan. Fuair sé cuid mhór anró agus imní. Bhí Seon an Fheadha ar thóir a chinn fada buan. Chonaic sé cuid mhór. Cheol sé cuid mhór. Bhí sé uilig thart. Ní cheolfadh agus ní shiúlfadh sé feasta mar ba ghnáth leis.

Bhí Peadar Ó Doirnín tuirseach agus thit sé ina chodladh.

Nuair a fuair páistí an áimear rinne siad a sáith cuideachta. Sa deireadh, nuair ab fhada leis an chuid a ba stuama acu a bhí an máistir ina chodladh, tháinig siad go dtí é go músclódh siad é. Chroith siad é agus chroith siad arís é. Níor bhog sé.

Bhí Peadar Ó Doirnín marbh.

Is mór an trua nach bhfuil dealbhóir againn, dealbhóir fíor-Ghaelach a dhathódh an pictiúr seo : an seanfhile ina luí marbh agus scata páistí thart air agus iad faoi eagla agus uafás ag an rud seo nach raibh mórán tuisceana acu air, an bás; agus, thiar ar a gcúl, maolchnoc craobhach agus solas na gréine ag breacadh an duilliúir agus ag déanamh mionréalta ina mílte de, ar Úrchnoc Chéin Mhic Cáinte.

CATHAL BUÍ MAC GIOLLA GHUNNA

Seo file nach ndeachaigh leath a luacha air ina am féin nó ó shin. Is deacair do dhuine ar bith a thuigeas litríocht a thuiscint cad chuige ar ainmníodh é ar fhear de na filí beaga agus ar cuireadh Pádraig Mac Giolla Fhiontain i measc na bhfilí móra. Níl mórán de chuid dánta Mhic Giolla Fhiontain i bprionta ach, an méid atá, níl ceann ar bith acu a dhath níos fearr ná na céadta a chum fir nach bhfuil mórán iomrá leo.

Seo mar chaithfeadh an scéal a bheith: bhí Pádraig Mac Giolla Fhiontain ina mháistir ar scoileanna filíochta agus is dóigh go raibh eolas mór aige, agus eolas beacht, ar an tseanlitríocht, agus go raibh clú filíochta aige dá thairbhe sin. Ach níorbh amhlaidh mar a bhí Cathal Buí. Ní raibh mórán bainte aige leis na sean-nósa filíochta. Má bhí intinn Pheadair Uí Dhoirnín éagosúil leis an intinn a bhí ag formhór na bhfilí san ochtú céad déag, bhí intinn Chathail Bhuí glan athscartha amach uatha. Is fusa i bhfad do dhaoine an lae inniu é a thuiscint ná don mhuintir a mhair lena linn, dar leat. Siúd is go bhfuil blas an tseansaoil ar a chuid Gaeilge, tá rud éigin ina chuid smaointe atá láithreach.

Ba iad lucht an tseanléinn—an mhuintir a fuair oiliúint intinne i gcúirteanna na filíochta—an dream deireanach atífeadh an mhaith a bhí i bhfear den chineál seo. B'fhearr i bhfad an breithiúnas a bhéarfadh na daoine coitianta gan oideas air. Tá a shliocht air. Tá *An Bonnán Buí* agus *Amhrán Chathail Bhuí* agus *Caitlín*

Triall i mbéal na ndaoine, gach aon áit ón Chabhán go Tír Chonaill. Ach seo barúil na scoláirí, féadaimid a bheith cinnte, a chuir Nioclás Ó Cearnaigh síos ina lámhscríbhinn :

> *Cahal or Charles Buidhe Gunn, the author of this* An Bonnán Buí *and several other humorous songs, was a celebrated character who frequented the South-Western counties of Ulster.*

Is lom gearblach an cuntas é sin. Níl mórán ar Chathal Bhuí ann. B'iontach an bharúil do Chathal agus don ghreann a bhí ag an fhear a dúirt gur amhrán grinn *An Bonnán Buí*. Níl díobháil ar bith grinn ar an amhrán, cinnte, ach ní amhrán grinn ar chor ar bith é. Bhí sé chomh maith agat saol greannmhar a thabhairt ar shaol Chathail. Bhí greann ann; ach i ndiaidh an iomláin saol brónach tuatach a bhí ann.

Deirtear go raibh sé ag gabháil a bheith ina shagart ina óige, agus gur chaith sé seal i Salamanca. Is doiligh a rá cad é a thug air cúl a thabhairt leis an oifig seo, cad é na smaointe a rinne sé ag siúl fá na clúideanna suaimhneacha thall sa Spáinn; is doiligh a rá cá mhéad taom bróin a chuir sé de sula bhfaca sé féin agus tuilleadh nach dtiocfadh leis a bheith ina shagart, nó go raibh gairm eile air. Bhí bóithre geala agus cuibhrinn ghlasa sa bhaile i gContae an Chabháin, agus ba dheas an ghrian a bhí ag dealramh ar Loch Mhic an Éin. Bhí cailíní caíúla soineanta ann; bhí meadhar agus spórt ann, damhsa agus biotáille. Creidim go raibh Cathal róbheo, rófholláin le cuireadh meallacach an tsaoil seo a dhiúltú agus troscadh agus urnaí a dhéanamh agus pléisiúr an domhain a sheachnadh.

Is dócha go dtáinig smaointe díchreidimh tríd a

cheann, mar a thig siad tríd cheann gach aon duine riamh dá ndearna mórán meabhraithe—smaointe a bhéarfadh greim ní ba daingne air nuair a d'éireodh sé ní ba sine, mura socraíodh sé leo an t-am sin. Ní maith le duine samhailt a thabhairt don méid a tháinig tríd a cheann sula dtáinig sé chun an bhaile, agus sular imigh sé ina mhangaire lena phaca ag díol mionearraí ar fud Chontae an Chabháin.

Tháinig rud amháin tríd a cheann ar scor ar bith a gcuala muid uilig iomrá air, mar a bhí Caitlín Triall. Tá sé intuigthe gurbh í Caitlín a thug air cúl a thabhairt don Eaglais, agus a thug air amhrán chomh neartmhar agus rinneadh sa chéad sin a dhéanamh :

Tá an oíche ag sioc, agus tá sé fuar,
Agus d'éalaigh mo ghrá le fear eile uaim:
Och, a ghrua dheas lasta agus a bhéilín bhinn,
Agus a Cheití, a stór, tá mé breoite tinn.

Shiúil mise thoir agus shiúil mé thiar,
Sligeach na long agus sráid Bhaile Átha Cliath;
Macasamhail mo chailín ní fhaca mé riamh
Go dtáinig mé abhaile ionsar Chaitlín Triall.

Níl mo ghrá-sa dubh nó buí,
Is fiú a cheangal le hór a dlaoi;
Sí péarla an chúl chlannaigh í mar d'ordaigh an Rí,
Sí réalt na maidne í 'measc chailíní an tsaoil.

Sagart beag mallaithe mé i ngrá le bliain,
Agus go mb'fhearr liom bean agam ná a bhfaca mé
riamh;
Gur lig mé na haspail 's a gcuideachta uaim,
'S go rachainn 'na leapa le Caitlín Triall.

Sé mo mhilleadh go bhfaca mise an dearg ná an donn,
Sé mo mhilleadh go bhfaca mise duilliúr na gcrann,
Sé mo mhilleadh go bhfaca mise Ceití 's a clann,
'S gur chaill mé mo chreideamh mar gheall ar aon bhean.

Sé mo mhilleadh go bhfuair mise léann ariamh,
'S go ndéanfar sagart de Chathal Buí gan mhoill;
Sula dtógaidh an t-easpag a lámh os mo cheann,
Ó, go mbéinnse le Ceití fá bhruach na dtom!

Gheall tusa domsa agus gheall tú fá dhó
Nach ndéanfá mo mhalairt anois nó go deo,
Ná go bhfaca mé thusa agus fear eile ag ól
I gcúl an tom dreas is mug leanna i do dhorn.

Ní mó ná go bhfuil feidhm an t-amhrán sin a mholadh. File mór a dtiocfadh leis a leithéid a dhéanamh. Dá mbíodh gan Caitlín Triall a bheith ann, bheadh an méid sin caillte orainn.

Is furast a thuiscint, nuair a fuair Cathal cead a chinn agus nuair a mhothaigh sé é féin taobh amuigh de bhallaí fuara an choláiste, gur imigh sé chun an drabhláis—mar a rachadh duine a throiscfeadh tamall fada leath bealaigh as a mheabhair fá bhia. De réir mar a deir sé féin, agus mar a deir seanchas na ndaoine, is beag olc nach ndearna sé. Thosaigh sé ar an ól. Bhí dúil i gcuideachta aige, agus é ag siúl fada leitheadach agus á chastáil ar gach aon uile chineál daoine. Níl aon uair dá smaoineadh sé ar an dóigh a bhí air, agus dá gcuireadh i gcosúlacht í leis an dóigh a d'fhéadfadh a bheith air, nach dtigeadh an brón air. Chuaigh a shaol amú, agus féadann tú a bheith cinnte go raibh a fhios sin aige.

Ní raibh aige ach rud éigin de thrí rud a dhéanamh; aithreachas a dhéanamh, nó a chiall a chailleadh ag meabhrú air féin, nó gáire a dhéanamh faoi féin agus faoin tsaol. Ghlac sé de rogha an ceann deireanach. Níor ghlac go hiomlán; bhí an brón i gcónaí deas don gháire aige, bhí cuimhne ar fad aige ar an bheatha mhaith a d'fhéadfadh sé a chaitheamh. Is é an dóigh a bhí air agus an leagan amach a bhí aige a fhágas a chuid filíochta chomh tarraingteach agus atá sí.

Caithfimid a rá go raibh intinn mhaith bheo ag fear ar bith a chonaic a oiread san éan a bhí ina luí ar an leac agus a chonaic sé. Bonnán beag a fuair bás den tart agus den fhuacht lá cruaidh siocáin a raibh oighreogach ar chuid toibreacha agus sruthán agus loch Chontae an Chabháin: cá mhéad duine, cá mhéad file, a rachadh an bealach agus nach bhfeicfeadh ábhar smaointe ar bith ann? Ach nuair a chonaic seisean é—Cathal Buí na pótaireachta—d'aithin sé go raibh sé gaolmhar dó agus gurbh é a cheart seasamh agus a chluiche caointe a fhearadh, mar a deireadh na seanscéalta:

A bhonnáin bhuí, sé mo léan do luí
Is do chnámha sínte ar leacach lom,
'S nach dearn tú díth ná dola istír
'S nárbh fhearr leat fíon ná uisce poill!
Dá gcuirfeá scéala fá mo dhéinsa
Go raibh tú i ngéibheann nó i ndeacair íot',
Bhainfinn béim as Loch Mhic nÉin
A fhliuchfadh do bhéal is do bhrollach síos.

An chéad rud a bhuaileas isteach inár gceann muid nuair a léimid seo, go bhfuil sé cosúil, ní hé amháin sa smaoineamh ach sa cheol fosta, leis an *Rubaiyat* a scríobh Omar Khayyam. Is é an chiall atá agam le ceol, an nádúir atá sa mhothú a chuireas an t-amhrán i d'aigne. Dá mbíodh an *Rubaiyat* aistrithe san am, thuigfeadh duine Cathal é a léamh sa Bhéarla, ach ní raibh nó go ceann chéad bliain ina dhiaidh sin. Is maith an comhartha ar an dá fhile an ceol céanna a bheith acu; caithfimid a rá gur thuig siad araon cad é an ceol a bhí ag fóirstean don smaoineamh. Ná tuigeadh aon duine go bhfuil an mheadaracht chéanna sa dá dhán. Níl, ach tá an brón céanna sna línte—cineál de bhrón mór anama a chuireas a mheabhrú muid, osna duine a thug grá don tsaol agus nach bhfuair a shásamh ann.

Tá brón agus greann ar ghuaillí a chéile sa dara ceathrú:

Nach buartha gránna a fuair tú an bás
A bhonnáin álainn ba deise dreach?
Nach minic sa lá a rinn tú an ghrág
Ag siúl go sámh fá gach tulaigh ghlas?
Sé mo thuirse mhór agus m'ábhar bróin
Gurb airde go mór do thón ná do cheann,
'S gurb é déarfadh gach pótaire dá siúlfadh an ród
Go mbeifeá beo dá n-ólfá an leann.

Ansin tarraingeann sé an scéal air féin de réir a chéile:

Ní hiad bhur n-éanlaith atá mé dh'éagaoin,
An chuach, an chéirseach nó an chorr bhreac,
Ach mo bronnán buí a bhí lán de chroí,
'S gur chosúil liom féin a shnua 's a dhreach!
Bhíodh sé go síoraí ag ól na dí,
'S deir daoine go mbímsa ar an nós sin seal:
Níl braon dá bhfaighead nach ligfead síos
Ar fhaitíos go bhfaighinnse bás den tart.

D'iarr mo stór orm ligean den ól,
Nó nach mbeinnse beo ach seal beag gearr;
Sé dúirt mé léithi go dtug sí a héitheach,
Gurbh fhaide mo shaol an deoch úd 'fháil.
Nach bhfeiceann sibh éan an phíobáin réidh,
Mar chuaigh sé dh'éag leis an tart ar ball?
A chomharsana chléibh, fliuchaigí bhur mbéal,
Óir ní bhfaighidh sibh braon i ndiaidh bhur mbáis.

Seo an rud a bheir an *Rubaiyat* inár gceann. Tá ceathrú ag Omar atá fíorchosúil leis na línte deireanacha sin:

Ah, my beloved, fill the cup that clears
To-day of past regrets and future fears—
To-morrow! Why, to-morrow I may be
Myself with yesterday's seven thousand years.

Is breá an síofadh filíochta atá sa cheathrú dheireanach:

Tá an bonnán donn ar Hallaí Choinn
Ar cheathrú gheimhridh, 's is olc a dhóigh:
Sé deir sé liom nach dtig sé anall
Go dtara an samhradh fada róidh.

Éiríonn a aigne agus líonann sé de spiorad, agus samhlaíonn sé an t-éan beag ar eiteoga i bhfad anonn, an áit a bhfuil Hallaí Choinn ina seasamh go lonrach ar ur Loch Éirne nó ar bhruach an Hellespont. Tá trua aige dó, ar cheathrú gheimhridh i bhfad óna chairde, i bhfad ó lochanna beaga an Chabháin. Chuir an smaoineamh cumha ar Chathal agus, dálta phótairí an tsaoil, d'imigh sé go ndéanadh sé dearmad den bhrón i dteach an óil:

Tá an ' Rós 's an Rí ' in imeall na slí,
'S an iomad den digh ann ag Gaeil 's ag Gaill;
Ag bord 'mo shuí bím ag ól na dí,
'S más dorcha an oíche ní dhéanaim faill.

Níl amhras ar bith nó tá an dán seo ar dhánta móra na hÉireann.

Is é an t-ólachán atá á chaibidil fosta in *Amhrán Chathail Bhuí,* amhrán mór de chuid na ndaoine i dTír Chonaill. Satharn Cásca amháin bhí Cathal agus a bhean ag díospóireacht le chéile mar seo :

An Bhean :

'gCluin tú mé, a Chathail Bhuí, tá an bás fá fhad téide duit,
Ní thig leat dul chun spairne go brách leis ar sliabh nó ar muir;
Ní choinneochaidh bean an tábhairne beo thú le briathra ar bith,
Tiontaigh ar an Ard-Rí 's gheobhaidh tú pardún inar éirigh duit.

Cathal :

'gCluin tú mé, a bhean úd a chanas na briathra beacht,
Níl mo chroí folláin 's is leannán domh go síoraí an tart;
Nuair atímsa na gloiní sna soiléir i bhfad uaim isteach,
Sé deireas mo mhuineál buí : ' Is cineálta d'ólfainn deoch.'

An Bhean :

Coinnigh le do dhá láimh, a Chathail Bhuí, 's ná caith, ó, níos mó.

Agus dearc ar do pháistí mar tá siad, lag meaite gan treoir;
'S gearr gairid an bás uait 's ní dhearn tú riamh ciste ná stór,
'S ní chaoinfidh mac máthar thú an lá sin a rachas ort fód.

Cathal:

Ó tharla gur ar mhaithe liom atá tú, a stór mo chroí,
Tabhair aon chárta dí amháin domh agus géabhfaidh mé do chomhairle arís,
Go n-ólaimid sláinte lucht ráflaí agus racáin an tsaoil,
'S bheirim go Domhnach Cásc duit i dtigh an tábhairne nach n-ólaim braon.

An Bhean:

Nach trua bocht an chinniúint a gineadh duit i dtús do shaoil,
Nuair is ansa leat meisce ná mise 's do pháistí díl?
Níl agat ciste nó tuistiún de stór an tsaoil,
'S an lá a éagfas tusa cé chuirfeas ort cónair chaol?

Cathal:

Ní thabharfainnse an fáth sin do mo pháistí bheith 'racán nó 'bruín,
Ach a mbéarfaidh mo dhá láimh go brách air a chur ins an digh;
'Gabháil siar Baile an Teampaill domh bíodh galltromp libh, fideal is píob;
Ólaigí mo shláinte-sa an lá sin 's ná tugaidh domh braon.

Amhrán breá croíúil greannmhar atá san amhrán seo, nach bhfuil chomh filiúnta leis *an Bhonnán Bhuí*. B'aige a bhí an grá ar a ghalar, mar Chathal Bhuí, nuair a bhí buidéal de dhíobháil air a d'ólfadh sé Satharn Cásca agus é ag geallúint ansin nach n-ólfadh sé an dara braon go dtí an lá arna bhárach. Agus is deas an tórramh a ba mhaith leis a bheith leis, á thionlacadh mar a chaith sé a shaol, le ceol, le hól, agus le gáirí : le galltrompa, fideal is píob. Agus an chumha a chuir sé i ngach dán dar chum sé, tá sé anseo mar scáile don ghreann :

> Níl mo chroí folláin agus is leannán domh choíche
> an tart. . . .
> Ólaigí mo shláinte-sa an lá sin 's ná tugaidh domh
> braon.

Ach, de réir mar bhí na blianta ag éalú thart, bhí an t-aithreachas ag teacht ar Chathal Bhuí. B'fhada ar tús gach samhradh agus geimhreadh, nuair a bhíodh sé ag súgradh fá thithe tábhairne an Chabháin, ach chuaigh siad thart ní ba ghaiste de réir a chéile go dtí go raibh an t-am ag imeacht thairis mar bheadh tuile abhann faoi dhroichead ann. Nuair a chuaigh sé a amharc ina dhiaidh ar an tsaol a bhí caite bhí sé ag goilliúint air an dóigh ar chaith sé é. Deir sé in amhrán amháin, *Beatha Chathail Bhuí* :

> Is beag claí garraí, fál nó fuirseadh
> Riamh a rinne mé le haoibh;
> Is beag orm crábhadh, tráth nó paidir,
> In aimsir troscaidh is mó ním craos.
>
> Níor thobas mo lámh in aon chás ó oscar,
> Thógfainn troid agus dhéanfainn bruín,
> D'imreoinn cártaí, cháinfinn, scolfainn :
> Sin agaibh oibre thús mo shaoil.

Is meanmnach súgach, lúfar, cliste
A dhóirtfinn fuiscí in mo scóig;
B'ait liom rúscadh, dúscadh meisce,
Ag tabhairt mo chiste do mhnaoi an óil.

Chuirfinn lúb, cluain is gaiste,
'S dhéanfainn siollaí bréag go leor;
'S má shíleann sibh gur tréas nó coir sin,
Gheobhaidh sibh tuilleadh de mo scéal go fóill.

Agus dá réir sin, ag insint a chuid peacaí uilig. Nach glinn scáfar a insíos sé dúinn fá mhúscladh coinsíosa sna línte seo?

Bhí mé aréir ag suirí le cailín
'S ba bheag mo spéis a bheith 'na dáil,
Nuair a shíleas féin a bheith á mealladh
Thit an paidrín as mo láimh.

Agus deir sé ar dheireadh an amhráin:

Nach trua don té fuair léann an tsagairt
Agus thréig a chreideamh mar gheall ar mhná?

Deir an seanchas go bhfuair Cathal aois mhór sula dtáinig an bás air. Bhí sé ina luí san fhiabhras i gcró bheag leis féin, agus thug comharsa faoi deara é agus chuaigh fá choinne an tsagairt. Tháinig an sagart agus chuaigh sé isteach sa chró. Bhí Cathal Buí Mac Giolla Ghunna ina luí marbh. Bhí scríbhinn mhór fhada ar an bhalla, scríofa le cipín dóite. Gníomh dóláis an fhile a bhí ann, an dán breá sin, *Aithreachas Chathail Bhuí*. Dán dlúth daingean atá ann, lán de chaint agus de smaointe urrúnta, obair mhillteanach, dar leat, do sheanduine a bhí i ndeacair an bháis:

Anois is tráth liom parlaí a dhéanamh feasta le Dia
Ag smaoineadh ar an áit úd a dtráchtann siad iomarca pian.
Ó, a Rí na ngrásta a ardaíos gealach is grian,
I bpeacaí ó tharlaíos, fág mé i gcumhacht a leigheas.

A Rí na ngrásta, is dona dom amharc ort suas,
'S nach bhfuil oíche ná lá nach dtarraingim fuil as do ghrua;
A Mhic Mhuire na páirte a d'fhulaing tairní dár gceannach go cruaidh,
Mura leasfair do lámh, mo chrá gur imigh mé uait.

A Rí na réalt a d'fhulaing éag i mbarr an chrainn
Agus croí do chléibh gur réabadh le lámh an daill,
Fuil do chréachtaí ag téachtadh ar lár 'n-a linn,
Ar scáth do scéithe beir féin leat go Parrthas sinn.

A Íosa, a Spioraid Naofa, a Athair 's a Uain,
A thug fíorfhuil do thaoibhe dár gceannach go cruaidh,
Bí mo dhídean, bí 'mo smaointe, bí ar m'aire gach uair,
Más suí domh, más luí domh, más seasamh, más suan.

Is furast an fear a fuair "léann an tsagairt" a fheiceáil san aithreachas sin. Deir sé in áit amháin:

Dá mbeinn sa Róimh, mo bhrón, chan fhuilim 's cha bhím,
I m'eaglasach óg 's mé cóirithe in aibíd na naomh,

Dhéanfainn aithreachas mór agus deora chomh geal leis an aol,
Ar acht a bhfáil romham mar lón i bhflaitheas na naomh.

Agus caithfimid gáire a dhéanamh nuair a thaispeánas an pótaire é féin i lár na guíodóireachta :

Braon de do thrócaire dóirt ar m'anam anuas,

Agus deir sé in áit eile :

A Rí na bhfeart, go n-aclaí tú mo chroí !

Cathal bocht ! Nár mhór a chuaigh an deoch idir é agus a bhfaca sé riamh, nuair nach dtiocfadh leis smaoineamh go dtiocfadh le trócaire Dé a theacht ar dhóigh ar bith eile ach ina bhraon ?

Tá scéalta go leor ag na daoine fá bhás Chathail Bhuí, agus níl feidhm orainn a gcreidiúint murar mian linn é. Chonaic an sagart an cró a bhfuair sé bás ann lasta le loinnir a ba deise ná an ghrian, ag tarraingt ar an doras dó. Tháinig bean álainn choimhthíoch chuige a rinne freastal air ar uair a bháis, deir daoine eile. Deir siad go raibh sagart san áit nach raibh ar na huaibh leis, agus nuair a chuala sé a bhás agus é ag siúl a chois locha, gur chaith sé eochair a bhí ina láimh amach san uisce agus gur dhúirt sé : " Ní fheicfidh an fear sin gnúis Dé go dtara an eochair sin ar ais chugamsa." In am dinnéir an lá arna mhárach tugadh isteach beathach d'iasc úr chuige agus an eochair istigh ann !

Taispeánann na scéalta seo dúinn ar scor ar bith cad é an creideamh agus an tuiscint mhór Chríostúil a bhí ag na daoine. Níl amhras ar bith ná thug siad an breithiúnas ceart ar Chathal Bhuí, Cathal an drabhláis mhóir agus an dóchais bhig, Cathal an ghrinn agus an bhróin, Cathal an chroí mhóir agus an anama fhiliúnta, Omar Khayyam na nGael. Ach ní hea—chuir mé as a ainm é. Ba mhó an file Cathal Buí ná Omar, ba daonna an file é. Ní dheachaigh Omar chomh deas don chroí leis, agus ní dóiche go bhfuil an toil chéanna ag a dhaoine dó atá ag a dhaoine féin do Chathal.

ART MAC CUBHAIGH

Caithfimid céim a thabhairt anuas ó na háiteanna is airde sa litríocht nuair a rachaimid a thrácht ar Art Mac Cubhaigh. File mór a bhí ann, a chum filíocht mhaith agus a rinne mórán oibre, ach níor chum sé dada a d'fhéadfaí a chur i gcomórtas le cuid oibre na triúire eile a luadh. Ina dhiaidh sin níl sé gan buanna a bheith aige dó féin, nó gan dóigh agus gnúis dó féin a bheith air, a bheir clú dó i measc fhilí an tuaiscirt.

I mBaile an Achaidh in Ard Mhacha a rugadh é, i dtrátha na bliana 1715. Tá Baile an Achaidh de chomh-air an Ghlasdromáin, an áit a raibh an seanchaisleán a bhí ag Clanna Néill lá den tsaol. Nuair a bhí sé ina ghasúr, is iomaí lá a chaith sé ag amharc ar na ballaí briste bearnacha, ina seasamh ar an chreig mhór sin, loch glan glinn ar thaobh amháin díobh, agus coill dhubh Dhún Réimhe ar an taobh eile. Is iomaí uair a smaoinigh sé ar an dream mhór éifeachtach a bhí i dtreis ansin, a choinnigh na Gaill taobh amuigh de chríocha Uladh ar feadh cheithre chéad bliain. San am ar mhair sé bhí corrdhuine de Chlanna Néill fágtha. Bhí daoine beo, b'fhéidir, a chonaic Eoghan Rua. Bhí a n-iomrá beo beathaíoch sa cheantar. Fuair siad greim ar intinn Airt, agus ní féidir Clanna Néill a scaradh óna chuid filíochta. Is iad ábhar an chuid is fearr dá chuid dánta iad.

Úir-Chill an Chreagáin an t-amhrán is fearr a rinne sé. Aisling atá ann; tá cruth air a raibh an smior-chailleach bainte as lena linn. Sin go díreach an áit a

G

bhfuil an bhua aige. Ní aisling mar gach aisling é, cé go dtiteann an file ina chodladh agus do dtig an spéirbhean chuige mar d'éirigh don chuid eile acu. Tá a oiread san amhrán agus nach dtig é a chur do leataobh. Má bhreathnaímid ar a thús tífimid go bhfuil rud éigin ann thar an choitiantacht:

> Ag Úir-Chill an Chreagáin a chodail mé aréir faoi bhrón.

Leagadh an léitheoir a intinn ar an fhile an oíche sin ina luí sa reilig, seantuamaí slogtha go lár san fhéar fhada neamhsciobalta agus iad i dtólamh ag insint fán tsíoraíocht; gaoth fhada bhrónach ag caoineadh; a oiread solais ann agus go bhfeicfeadh sé Caisleán an Ghlasdromáin ina mheall gharbh scáfar idir é féin agus spéartha duibhnéalacha. Nárbh uaigneach aige é ar a sheachnadh? Ar a sheachnadh i measc Chlanna Néill agus Gaill sa tóir air. Bhí lá agus ní bheadh mórán fonn ar a namhaid a theacht anuas ina dhiaidh thar chríocha Ard Mhacha. Chuaigh an oíche thart, deir an scéal, agus tháinig an mhaidin. D'éirigh na tuamaí liath sa scarthanach. Agus tháinig spideog bheag le tuairisc an lae agus sheasaigh sí ar cheann de na tuamaí agus chuaigh sí a sheinm. Agus bhris iomlán an uafáis agus an uaignis agus an bhróin amach ina cheol ar Art agus fuair sé faoiseamh:

> Ag Úir-Chill an Chreagáin a chodail mé aréir faoi bhrón,
> Is le héirí na maidne tháinig an ainnir fá mo dhéin le póig;
> Bhí gríosghrua ghartha aici agus loinnir ina ciabh mar ór,
> 'S gurbh é íocshláinte an domhain a bheith ag amharc ar an ríoghain óig.

Bheir sé i láthair í go simplí filiúnta, gan am nó anáil a chur amú le haidiachtaí scailleagánta, agus labhrann sí leis :

A fhial-fhir charthanaigh, ná caitear thusa i néalta bróin,
Ach éirigh go tapaidh agus aistrigh liom siar sa ród
Go tír dheas na meala nach bhfuair Galla inti réim go fóill,
Is gheobhair aoibhneas ar hallaí do mo mhealladh-sa le siansa ceoil.

Fiafraíonn sé na seancheisteanna di, arbh í Helen í, nó bean de " naoi mná deasa Pharnassus," agus deir sise:

Ná fiafraigh díom an cheist sin, óir cha chodlaim ar an taobh-sa 'Bhóinn,
Is síogaí beag linbh mé a hoileadh le taobh Ghráin-neoig' :
I mbruín cheart na n-ollamh bím go follas ag dúscadh an cheoil,
Bím san oíche fán Teamhair agus ar maidin i lár Thír Eoghain.

Chomh luath agus chluin sé iomrá ar Thír Eoghain ní sé dearmad den bhansíogaí agus tosaíonn sé a mhairg-nigh :

Sé mo ghéarghoin tinnis gur theastaigh uainn Gaeil Thír Eoghain,
Agus oidhrí an Fheadha gan seaghas faoi líg dár gcomhair :
Géaga glan-daite Néill Fhrasaigh nach dtréigfeadh an ceol,
Is chuirfeadh éide fá Nollaig ar na hollaimh a bheadh ag géilleadh dóibh.

Bheir an bhansíogaí cuireadh athuair dó a bheith léi agus an áit bhrónach seo a fhágáil, mar a raibh " Clann Bhullaí " á choinneáil faoi chrann smola gach lá. Glacann sé leithscéal. Tá bean aige agus ní maith leis a tréigean. Iarrann sí arís air a bheith léi agus gan a bheith beo bocht ag déanamh ceoil do dhaoine nach airí orthu é :

> Nach mb'fhearr duitse imeacht le hainnir na maoth-
> chrobh meor,
> Ná na tíortha a bheith 'fonóid fá gach rabhán dá
> ndéan tú 'cheol?

Tosaíonn sé a ghéilleadh di de réir a chéile, ach tá gealltanas a dhíth air sula dté sé chun an bhealaigh mhóir :

> Má éagaim fán tSeanainn, i gCríoch Mhanann nó
> san Éiphte mhóir,
> Gur i gcill chumhra an Chreagáin a leagfar mé i
> gcré faoi fhód.

Binn is mar tá an rannaíocht seo, tá sí garbh le taobh cuid de na seandánta. Ach tá an chanúint liteartha agus tá na smaointe níos fearr agus níos daonna ná mar is gnáth san aisling. Is maith a thaitníos an grá tíre atá ag Art Mac Cubhaigh liom. Ní " Séarlas Óg, mac Rí Shéamais " a bhí ag cur bhuartha air ach " Géaga glandaite Néill Fhrasaigh " a sheasaigh ar feadh chéadta bliain chomh daingean le Sliabh gCuilinn in aghaidh na nGall. Níl dochar dúinn a rá gurb í seo an aisling is fearr san fhilíocht.

Ní a dhath níos lú ná sé hamhráin atá déanta aige fá Chlanna Néill an Ghlasdromáin. Tá mairgneach mhór fhada déanta aige fá bhás Airt Óig Uí Néill, an fear deireanach den dream, buachaill a fuair bás i gceann a chúig mblian fichead. Téid sé siar thar " sliocht Fhéilimí Rua na gcrua-lann líofa " ag insint a gcuid tréithe, agus bheir sé Éire chugainn agus í ag caint go bródúil brónach ar a cuid ríthe:

> Bhí Niall Frasach agam mar chéile,
> Niall Glúndubh is Niall Caille is Niall na Naoi
> nGialla,
> Cairbre a cailleadh i gcogadh na Féinne,
> Cormac Ulchfhada, an mac sin Airt Éinfhir,
> Conn a bhí ar each i ndeabhaidh Mhagh Léana
> Féilimí Reachtmhar is Tuathal Teachtmhar na
> mBéimeann.

Níl dochar a rá gur chéilí fearúla clúiteacha a bhí iontu. Is uaigneach scáfar an dán é seo:

> Ar bhruach Dhún Réimhe ar uaigneas lae,
> Ba shnuamhar géaga bláthgheal,
> Chualas géimneach chuanta Éireann
> Agus fuaim sa spéir in airde.
> Bhí na dúile tséimh 's a gcúl le chéile,
> Is gnúis na gréine báite,
> Agus slua na n-éan ag fuagradh scéil,
> Le gruaim gur éag na cága.

Ó, d'éag na cága agus ní raibh i bhfad eile ag Caisleán an Ghlasdromáin le seasamh ar bhruach Dhún Réimhe. Tháinig oíche amháin gaoithe móire agus fuair Art na seanbhallaí leagtha ar maidin. Chum sé amhrán fíordheas faoi seo, agallamh idir é féin agus an caisleán. Mura mbeadh ann ach na hainmneacha áille atá ar an chaisleán, bheir siad le fios dúinn cad é an fairsingeach smaointe agus Gaeilge a bhí aige. D'fhéadfadh duine liodán a dhéanamh díobh:

A aolchloch dhaite a bhí seal ag Síol Néill ar dtús . . .
A shaordhúin caisil is deise ná céadta cúirt . . .
A ghrianán na seirce a dtig friothaimh na gréine id chúl . . .
A áras na seirce a mbíodh gaiscígh agus iarlaí fút . . .
A áille na háille a fuair taithí ó na céadta ar dtús.

Ba deacair samhailteacha chomh deas leo a fháil, nó chomh doirte gradamach. I bhfad óna dhaoine thuas i mBinn Éadair i measc na nGall, bíonn sé ag smaoineamh ar an tseanchaisleán. Nach filiúnta an tús a chuireas sé ar an amhrán seo?

Ag cuan Bhinn Éadair ar bhruach na hÉireann
Agus mé ar thaobh toinne bóchna 'mo luí,
Tháinig aisling bhéilbhinn gan fhios do m'fhéachaint,
Ar aiste Vénus nó i gcló bean sí.

Is mór an trua nach bhfuil an chuid eile de ag cur leis an méid sin. Níl ann ach aisling choitianta, agus ina dhiaidh sin tá a oiread ann agus a bheir le fios dúinn go dtiocfadh le Art Mac Cubhaigh filíocht ní b'fhearr a dhéanamh dá bhfaigheadh sé ní ba mhó de shaothar léi, dá mbíodh ní ba lú airde aige ar an tseanfhilíocht agus, b'fhéidir, dá mbíodh daoine ní b'fhoghlamtha ag éisteacht lena chuid ceoil.

Ba é an rud a ba chúis le é a bheith ar an choigrích i mBinn Éadair, é féin agus sagart na paróiste titim amach le chéile. Fear santach dolba, a bhí trom ar na daoine, a bhí sa tSagart Ó Cuinne. Agus bhí sean-deirfiúr aige a raibh an t-olc céanna inti i gcruth i bhfad ní ba nimhní, mar is dual dá cineál a bheith. Lá amháin a bhí Art istigh aici, thug sí braon bláiche dó sa chistin, agus thug sí bodach, a raibh ní ba mhó de shaibhreas an tsaoil seo aige, isteach chun an pharlúis agus thug fíon le hól dó. Ghoill seo ar Art go linn bhuí na gcaolán. Ina fhile agus mar bhí sé, mór agus mar bhí a chuid aislingí agus a chuid smaointe, ní raibh ann ach garra-dóir bocht; agus bhéarfadh daoine saolta nach raibh a athrú de thuiscint acu, bhéarfadh siad sin le fios dó. D'imigh sé agus rinne sé ceol cáinte di, cineál ceoil a raibh na filí Gaelacha róthugtha dó :

Tá ribíní dearga ar gach páiste istír,
Tá na mairbh dá n-adhlacadh gan cháin, gan chíos,
Níl aon duisín nó cuta le fáil, nó síol,
Níl aon mheascán dá dheisiú ach do Mháire Chaoich.

Chan ógánach dóighiúil ab áin léithe féin,
A phógfadh go ródheas nó d'fháiscfeadh léi,
Ach fear a' chróinín chruinn chornaithe as lár na cré,
Sé d'ólfadh an puins ródheas le Máire Chaoich.

Dá maireadh sliocht Cholla an dá ghealchrích,
Sé nach ligfeadh an dán dá chloí;
Sé nach ligfeadh lucht déanta na mbardóg daor
Bheith ar féasta i dtoigh cléire ag Máire Chaoich.

Imíonn an drochscéal fada leitheadach i gcónaí agus ba ghairid go raibh an t-aor seo i mbéal an bhig is an mhóir. B'éigean d'Art teitheadh. Thuigfeadh duine as a chuid filíochta go ndearnadh sórt coinnealbháite air. Bhain sé Binn Éadair amach ar scor ar bith. Ní raibh sé i bhfad ansin go raibh a chroí á réabadh le cumha. Ní raibh le cluinstin aige ach Béarla; ní raibh na daoine chomh forbháilteach agus a bhí siad sa Ghaeltacht; agus an rud a ba mheasa uilig, ní raibh aon duine a raibh ciall dá chuid filíochta aige, agus bhí a intinn ag éirí mífholláin de dhíobháil an chothaithe chineálta a bhíos i moladh daoine tuisceanacha. Ní bheadh sé beo i mBinn Éadair. Fuair sé sagart ó thaobh Dhún Dealgan le cead a iarraidh dó a dhul chun an bhaile. D'iarr an sagart sin air amhrán molta a dhéanamh mar éiric. Rinne, agus fuair sé cead tarraingt ar an Chreagán arís. B'fhiú dó a dhul tríd an iomlán ar mhaithe leis *An Chúilfhionn Ní Chuinne,* an t-amhrán is séimhe agus is binne dá chuid :

Tá géag gheal dheasaithe, bhéilbhinn, bhreasnaí
Ag céimniú mar an lile fán ard seo thiar,
Agus éanlaith na cruinne go n-éistid go huile
Le héifeacht a binnis gach lá gan chian.
Tá a déid chaoin chailce déanta 'na seasamh,
Mar an éabhar is gile dá dtáinig ariamh,
Agus réidhmhil na mbeach ag scaoileadh 'na ceath-
aibh
In aolghnúis ghartha Mháire na gciabh.
Tá an fhialbhean seo ar lasadh i ndiagacht 's i
ndeise,
Mar ghriansolas maidne a dhealraíos gach ló
'S níl iarla dár gineadh riamh ins an chruinne
Nachar mhian leis an lile úd a fháil mar stór.
Ciall nachar milleadh, scéimh nachar truailleadh,
Ariamh nachar milleadh a mórgacht go fóill,

'S go bhfuil a píob is a mama ar lí chlumh na heala
Nó mar ladhg ar stad ar ardshliabh Mhaoldorn.

Is neamhionann an bhruinneall álainn seo agus an speadóg shuarach bheadaí sin Máire Chaoch.

B'éigean d'Art go ndearna sé gáire ina intinn féin nuair a bhí sé ag cumadh na ceathrún seo:

Tá mo chéadfaí ar mearú, buartha fán chorraí
A d'éirigh ar Mháistreas Máire le bliain;
Is a ghéag ghlan daite, leigheasaigh m'aicid
Le sméideadh do rosc is áille ná an ghrian;
Réalt ghlan na maidne is féile dár cumadh,
Saor-níon Uí Chuinne de rása Uí Néill,
Is an scéimh úd lér teascadh in éagruth Clann
Uisnigh
Gur éalaigh sí leatsa ó Dheirdre na gciabh.

Chaith Art an chuid eile dá shaol, is dóiche, fá Chontae Ard Mhacha. Níl mórán seanchais againn fán dóigh ar chaith sé na blianta. Ag garradóireacht leis, creidim, agus gan mórán iontais á dhéanamh de. É ina oibrí mar gach oibrí de thairbhe cosúlachta de. B'fhéidir go molfaí rud beag anois agus arís é nuair a dhéanfadh sé amhrán. B'fhéidir go n-abródh duine eolais corruair le strainséir: sin Art Mac Cubhaigh, an file. Bhíodh sé uaigneach corruair, gan amhras. D'amharcadh sé ar na seanchlocha i reilig an Chreagáin nó ar Chaisleán an Ghlasdromáin, agus thigeadh smaointe seachránacha tríd a cheann. Cé aige a bhfuil a fhios nach raibh sé in inmhe an t-am a fheiceáil nach mbeadh ach Béarla á labhairt fán Chreagán agus céad míle ar gach taobh? Rudaí mar seo a chuireadh go teach an óil é lena bhreis a thabhairt isteach ar son an méid a chaill sé de phléisiúr an tsaoil, le sólás a fháil as aoibhneas fill agus bréige. Ní raibh sé críonna, agus cé leis a dtig achasán a thabhairt dó?

Chuaigh na blianta thart agus tháinig an aois air. Fuair a chara, Peadar Ó Doirnín, bás, agus thit sé ar a chrann feartlaoi a dhéanamh dó. Is furast a aithne ar an fheartlaoi chéanna go raibh sé ó mhaith; níl inti ach rann marbh gan fhilíocht. Ba ghairid a sheal féin ina dhiaidh seo. Fuair sé bás i dtrátha na bliana 1755. An achainí a d'iarr sé ar an bhansíogaí, fuair sé í. Tá sé sínte " i gcill chumhra an Chreagáin." Deir seanchas na ndaoine go bhfuil, ach níl an dara cruthú againn. Níl tuama ar bith lena thaispeáint dúinn cá bhfuil sé ina chodladh; cá bhfuil sé ag fanacht, " nó go dtara Clanna Néill eadar chlaíomh agus each."

AISTE AGUS SCÉAL

ÁR nDÚCHAS—ÁR gCINNIÚINT

MÁS cóir dúinn dóchas a bheith againn go mbeidh Éire saor, ní lúide is cóir dúinn a bheith ag dúil go mbeidh sí Gaelach. Is beag is fiú an chraobh gan an bhláth: níl inti ach brosna, agus is dual di a bheith ina cual chonnaidh a dhófar agus a imeos ina toit agus ina luaith. Nuair a thig an bláth tig an toradh. Murar mian linn a dhul sa tine, mar sin, bíodh uchtach againn go n-aibeoidh ár dteanga agus ár litríocht.

Is fada an lá ó cuireadh smacht orainn, agus ba mhillteanach an smacht a cuireadh orainn. Níl mé ag rá go bhfuil duine beo in Éirinn inniu a thuigeas go hiomlán an bascadh a fuair muid. Chuaigh ár ndíomua chun dearmaid. " Idir speal agus corrán a thiocfas an cogadh," a deir na seandaoine sa Ghaeltacht. " An seisiú bliain déag beidh Éire ramhar le fuil; an seachtú bliain déag, mo léan, cá ndeachaigh na fir?"

Má thig leat suí agus meabhrú air sin, b'fhéidir go bhfeicfeá slua den " fhéinn eachtrainn " ag teacht; tithe agus bailte á ndó; coirp fá na bóithre agus fuil ina lochanna; naíonáin ag screadaigh ar bharra sleánna; páirceanna arbhair á scrios; daoine á ndíbirt thar sáile. Tuigfidh tú, b'fhéidir, cad é a d'fhulaing do shinsir, ach ní thuigfidh tú cad é an oidhreacht a chaill tú féin. Má gheibh tú spléachadh ar an tsaol a bhí ann le linn Éire a bheith ina hÉirinn, mar deirtear a gheibh an t-iascaire ar Loch nEachach ar thúir agus ar chaisleáin a bhí ann san aimsir chianaosta, duine ar leith thú, agus féadann tú áthas a bheith ort.

Nach doiligh dúinn, agus muid mar seo, ár leas a dhéanamh? Táimid mar bheadh foireann ar bhád a chaillfeadh an stiúir. Tá gach aon séideán ar mian leis ag teacht orainn ó cheithre hairde fichead an domhain.

" Bhí muid leamh, agus chaith an t-iasacht muid."

Ní thuigimid in Éirinn na ceisteanna a thuigfeadh tachrán i dtír a bheadh saor. Dar leat gur beag an tuiscint a bhí a dhíth ar dhuine le fios a bheith aige gur chóir dúinn a bheith cinnte cad é ba mhaith linn a iarraidh sula n-iarraimis é. Agus ina dhiaidh sin, dá mbíodh Éire saor amárach, ní bheadh a fhios againn an dóigh le a dhul a dhéanamh tráchtála nó dlí nó litríochta a bheadh Gaelach.

Ar litríocht is rún domsa mo sheanchas a dhéanamh. Ach dar liom go bhfuil sé riachtanach an tráchtáil agus an dlí a lua fosta. Luaim gach aon rud dá bhfuil i saol tíre. Nó tá baint ag litríocht le gach aon rud dá bhfuil i saol tíre. Nuair a mhachtnaímse ar an dóigh le litríocht a thabhairt i gcrann, níl mé ag ligean aon duine thart gan an t-am de lá a bheannú dó, dá mba é an ghealt allta é a shiúlas thart agus cú ar éill aige. Gach aon duine dá bhfuil beo anois, gach aon duine dar mhair riamh, ó Chúchulainn go dtí Toucher Doyle, ó Dheirdre go dtí Biddy Mulligan the pride of the Coombe, tá gnaithe agam leis.

Níl bréag ar bith nó tá daoine in Éirinn atá i bhfáth le litríocht. D'ainneoin an Hospital Sweep, d'ainneoin Leopardstown agus Punchestown agus Baldoyle, d'ainneoin Pháirc an Chrócaigh, agus Mickey Mouse, tá daoine beo a léas leabhair Ghaeilge. Tá daoine ann ar mhian leo scoláireacht a bheith acu, daoine ar mhian leo scríobh. Ach ní dhearna siad saothar ar bith go fóill ach saothar tútach, agus go minic saothar fabhtach. Tá siad in achrann dall dorcha, agus níor thosaigh aon duine acu leis an ghníomh cheart go fóill.

Díobháil eolais ar stair na tíre is ciontaí leis sin. Ní thuigeann duine ar bith go raibh litríocht againn san am a chuaigh thart. Ar ndóigh, tá a fhios go bhfuil a oiread lámhscríbhinní Gaeilge ina luí gan a chur i gcló agus a líonfadh corradh le míle de leabhair mhóra thoirteacha. Ach, a Thiarna, dá gcuirfí i gcló iad, cad é an gnaithe a bheadh leis an Royal Irish Academy? Is deacra arís a chur in iúl do dhaoine go bhfuil feabhas ar bith sa litríocht sin. Agus, ar ndóigh, tá seanlitríocht na Gaeilge ar litríocht chomh mór agus atá ag aon dream daoine ar an domhan. Dearcaimis ar dhán amháin as measc mílte, an dán a fágadh ar Cholm Cille nuair a bhí sé ag imeacht as Doire:

Dá mba liom Alba uile
Óthá a broine go a bile,
Ro b'fhearr liomsa áit toighe
Agam ar lár caomh-Dhoire.

Is uime a charaim Doire,
Ar a réidhe, ar a ghloine,
'S ar iomad na n-aingeal bhfionn
Ón gcionn go soich aroile.

Trua liomsa na gártha goil
De gach taobh de Loch Feabhail,
Gáir Chonaill, gáir Eoghain trá,
Ag eolchaire im dhiaidhse.

Ionúin fiodh
As ar cuireadh mé gan chion,
Dainimh d'ainnribh Chlainne Néill
Mo chur i gcéin, 's do gach fior.

Faoileanna Loch Feabhail
Romham agus im dheaghaidh
Ní thigid liom im churach.
Uch ! is dubhach ar ndeaghail.

Mo radharc thar sáil sínim
Do chlár na ndarach ndíoghainn;
Mór déar mo roisc bhlais ghlémhoill
Mar fhéaghaim tar m'ais Éirinn.

Fuil súil nglais
Fhéachas Éirinn tar a hais,
Nochan fhaicfe iarmhathá
Feara Éireann ná a mná.

Do-chim Í !
Beannacht ar gach súil do-chí;
An té do-ní leas a chéile
Is é leas féin do-ní.

B'fhéidir go gcuirfeá fáinne fán domhan sula bhfaighfeá leithéid an dáin sin. Tá cumha chomh cráite ann agus go samhlódh duine gur labhair Colm Cille ar son gach duine a mb'éigean dó dul thar sáile ó shin, agus is iomaí duine sin.

Níl feidhm orainn a bheith ag déanamh moille ag aithris na seandánta. Tá an fhilíocht iontu. Tá sí sa bheagán bheag a cuireadh i gcló; agus os coinne gach ceann dar cuireadh i gcló, tá céad nár cuireadh. Agus b'fhéidir nár mhiste dúinn a mheas go bhfuil céad dán mór le cur i gcló os coinne gach dáin mhóir dar cuireadh i láthair léitheoirí go fóill. Ní dheachthas i gceann na hoibre go fóill. Tá an litríocht ina luí mar bheadh garraí mór arbhair ann, gan bhualadh gan cháthadh, ach na corrphunanna a thug daoine falsa gan tábhacht leo ar a gcoiscéim.

Creidim nár cheart a bheith ag dúil le scríbhneoirí an lae inniu mothú aigne a fháil ón fhilíocht nár léigh siad. Ach, a Thiarna, dá léadh siad na dánta uaisle seo, na laoithe fianaíochta, na dánta grá agus gráin, na laoithe a rinneadh ag moladh ríthe agus árais éifeachtacha, nárbh iontach an neart a chuirfeadh siad ina n-intinn? Ach sílidh daoine, cionn is go ndearnadh níos mó rothaí agus go bhfuil níos mó ola á cur ar iarann le céad bliain ná bhí roimhe sin, go ndeachaigh intleacht an chine daonna ar aghaidh le trí truslóga a thug go geataí na gréine í.

Sílidh siad nach raibh rothaí ar bith sa tsean-am ann. Bhainfeá léim astu dá n-abrófá go raibh bríste ar Chormac Mac Airt. "Modern thought!" a deir siad, agus go mb'fhéidir nár mhachnaigh siad fad a n-urláir féin riamh.

Tá trí bhua sa tseanlitríocht ag gach Gael dar mian leis foghlaim. Tá deis labhartha na seanéigse inti, mar seo:

Ionsaigh longfort Fhinn na bhFiann
Mar a bhfuil don taobhsa siar.

Caint uasal, neartmhar, a bhfuil ceol iomlán inti i gcluas an té a chluin. B'fhurast ciall na rann a rá ar dhóigh nach mbeadh filiúnta, ar dhóigh nach dtuigfí éifeacht Fhinn nó na bhFiann, agus ar dhóigh ar bheag an tsuim an taobh thiar. Tá teas agus pian chroí iontu, mar tá sa dán sin Cholm Cille:

Ionúin fiodh
As ar cuireadh mé gan chion.

Léimidh na rannta sin chugat mar bheadh smeach ann. Agus tá bua eile sa tseanlitríocht. Tá gníomhartha inti, tá sí lán radharcanna beo borba mar bheadh dúiche chnocach ann.

Ní thig leat an rann seo i mo dhiaidh a ligean thart leat gan do chroí léim a thabhairt. Isteach i Mainistir le Cathal Crobhdhearg Ó Conchubhair, i ndeireadh a shaoil agus a laetha, a chur éide an mhanaigh air agus a thabhairt na mblianta deireanacha den tsíoraíocht. Castar Muiríoch Albanach Ó Dálaigh, an file, air; labhraidh an rí leis an fhile:

A Mhuireadhaigh, meil do scin
Go mbearraim-inn don Airdrí:
Tabhraim go milis ar móid
'S ar dhá dtrilis don Tríonóid.

Á, faraor, a Chathail Mhóir! Nach iontach a bhogas teagmháil na díse croí an duine?

Mhair an fhilíocht seo anuas go dtí an seachtú céad déag, agus ansin san ochtú céad déag tháinig fás eile uirthi. D'fhás craobh bealach eile aisti, agus níor chraobh shuarach í. Filí móra Séamas Mac Cuarta agus Peadar Ó Doirnín agus Cathal Buí Mac Giolla Ghunna agus Liam Dall Ó hIfearnáin agus Aodhagán Ó Rathaille. Go dearfa, b'fhusa d'fhile inniu aithris a dhéanamh ar fhilí na hochtú haoise déag ná ar na filí a bhí ann roimhe sin. Ní furast a insint cad chuige. B'fhéidir go bhfuil an tseanfhilíocht rómhór, go bhfuil barraíocht de mheáchan tochta agus uabhair agus teas croí den uile chineál inti. B'fhéidir, nuair a d'imigh na ríthe agus na flatha, agus na baird agus na breithiúna, Aileach agus Cruachain agus Teamhair, gur imigh an saol a bhí mar úir ag crann mór maiseach na filíochta. B'fhéidir gur éirigh Doire suarach, agus gur imigh a réidhe agus a ghlaine agus iomad na n-aingeal fionn as.

Dar liom féin ar scor ar bith nach maireann den áit a bhí Colm Cille a chaoi ach " gach taobh de Loch Feabhail." Níl uchtach ar bith agam go gcanfaimid arís mar chan Eoghan Rua Mac an Bhaird agus Muiríoch Albanach Ó Dálaigh agus Colm Cille. Ach is féidir linn ár n-aigne a ligean le sruth teann a gcuid rann, agus bhéarfaidh sin sláinte dúinn mar bhéarfadh aer láidir na farraige do dhuine lagbhríoch.

Is fusa cumann a dhéanamh le filí na hochtú haoise déag. Is cóngaraí *An Bonnán Buí* dúinn, agus *Fáilte don Éan,* ná an tseanfhilíocht. Níl an síofadh céanna iontu, cé go bhfuil siad iomlán ina ndóigh féin. Agus is cóngaraí arís dúinn amhráin na ndaoine, na hamhráin sin nach bhfuil a fhios cé chum iad: *Séamas Mac Murchaidh, An Draighneán Donn, Bean an Fhir Ruaidh, Mo Róisín Dubh, Mal Dubh an Ghleanna, Seán Ó Duibhir an Ghleanna, Risteard Ó Broin, Mo Bhrón ar an Fharraige, Donnchadh Bán,* agus a leithéidí. Tá litríocht mhór sna hamhráin seo uilig a d'ainmnigh mé. Tá smaointe domhaine iontu agus caint fhíor-Ghaelach ar na smaointe sin. Agus déarfaidh daoine nach bhfuil an Ghaeilge inchurtha le smaointe an lae inniu!

Sé sin m'uaigneas fada,
Scáth mo chluas á ghearradh,
An ghaoth aduaidh am leathadh,
Agus an bás ins an spéir.

Déan sin níos míne má thig leat é, a fhile a mbíonn an focal " modern " ar bharr do ghoib agat?

Mo chomhairle do gach scríbhneoir óg atá cinnte go bhfuil cuisle na filíochta ann, na hamhráin seo a fhoghlaim agus a gcanstan go raibh siad fite ina nádúir mar atá an dlúth san inneach. Lá éigin, cuirfidh siad maise ar aigne filí Gaelacha agus cuirfidh siad binneas i bhfuaim a mbeoil.

Dá gcuirfí ceist orm cad chuige nach bhfeiceann mórán Éireannach tairbhe ar bith i litríocht a dtíre, déarfainn gurbh é Shakespeare a ba chiontaí leis. Ní dá dheoin, b'fhéidir. Ach tugadh Shakespeare dúinn teacht dheirg an dá néal agus in am eadartha agus ag nóin bheag agus deireadh an lae. Is dóiche gur mó an t-eolas atá in Éirinn ar Shakespeare ná atá ina thír dhúchais féin air. Bhí sé istigh i mála linn, agus fód aráin phlúir lena thaobh, go dtí an scoil náisiúnta. Bhí sé idir Caesar agus Xenophon againn ar an scoil idirmheánach. Bhí sé i gcoláistí againn. Agus hinsíodh riamh dúinn go raibh sé os cionn locht a fháil air, gurbh é rífhile an domhain é. Anois, inseoidh mise cuid den fhírinne faoi Shakespeare, an fad is léir dom í. Tá ráite sárfhiliúnta ann. Sárfhilíocht Othello ag caoineadh a mhná, agus sárfhilíocht Lear ag rá leis an amadán: " Art cold, boy? " Tá a lán rann aige atá fíordheas ach nach bhfuil ina bhfilíocht mhór. Cuir i gcás:

Primroses,
That come before the swallow dares, and take
The winds of March with beauty.

Nó:

On such a night as this
Stood Dido with a willow in her hand
Upon the wild sea bank and waved her love
To come again to Carthage.

Ach ní filíocht ar bith "*To be or not to be,*" nó "*If it were done when 'tis done,*" nó "*Friends, Romans, Countrymen.*"

Is cuimhin liom an chéad uair a chonaic mé *Hamlet* in amharclann. Bhí an dráma léite fiche uair agam, ar ndóigh, roimhe sin. Ní thug mé faoi deara gur chuidigh sé liom léiriú an dráma a fheiceáil. Cinnte tharla rud amháin, chonaic mé go raibh Ophelia beo. Ach anois níl feidhm ar bith, féadaim a rá, le Ophelia sa dráma. Idir Hamlet agus Claudius atá sé. Bhí an dráma neartmhar mar stoirm gaoithe móire ann, agus tháinig mé chun an bhaile agus mo cheann ag dul thart. Ach tháinig mé chun an bhaile uair nó dhó fosta i ndiaidh óráid mhaith a chluinstin agus bhí mo cheann ag dul thart. Is minic a smaoinigh mé ó shin gur mhór an trua nach gcuala Shakespeare *Oidhe Chlainne Uisnigh* agus nár scríobh sé dráma faoin scéal. Dá ndéanadh, chruthódh sé don tsaol cad é chomh tútach is a bhí sé mar fhile. Bhí an t-ádh air nár bhain sé le scéal ar bith de scéalta móra an domhain.

Is deacair dúinne in Éirinn an méid seo a thuiscint. Nó tugadh iarraidh é a chur in ionad ár ndúchais. Rinneadh mar an gcéanna le údair na Róimhe, ach ní raibh an toradh céanna ar an tsaothar sin. Cá huair atífimid an lá nach ligtear do mhac léinn ar bith in Éirinn amharc ar Shakespeare nó ar Horas nó ar Cicero go bhfoghlaime sé an Táin agus na laoithe Fiannaíochta agus an mheánlitríocht ar tús?

Nuair a thrácht mé ar an Táin, thug sin " prós " na Gaeilge i mo cheann. Agus is iontach an bharúil atá ag daoine, san am i láthair, nach bhfuil maith i bprós na Gaeilge. Moladh an Táin, ar ndóigh. Moladh i mBéarla í. Ach, a Thiarna, níor chreid aon duine an chaint sin. Dar leo gur duine corr a chan í, duine a bhí ag iarraidh callán a dhéanamh a bhéarfaí faoi deara.

Níor léigh mé féin an Táin i nGaeilge riamh. Ach tá eolas ar na scéalta agam. Tá litríocht mhillteanach iontu, gan trácht ar dheis labhartha ar chor ar bith. An bhfuil aon scéal ar an domhan chomh maith le *Oidhe Chlainne Uisnigh*? Nach saibhir bailiú fear Éireann le ionsaí a thabhairt ar Ultaibh? Nach éifeachtach Sualtamh ag dul go hEamhain Mhacha ag iarraidh cabhrach dá mhac? Nach millteanach na daoine Méabh agus Conchubhar agus Fearghus? Tá litríocht go leor sa Táin fá choinne aicme iomlán daoine.

Ach ba mhian liom trácht ar dheis labhartha phrós na Gaeilge. Fuarthas locht air sin ar na mallaibh. Ba é an Piarsach an chéad duine, sílim, a chuaigh a scríobh scéalta gairide ar an dóigh úr: " Bhí sean-Mhaitias ina shuí le hais an dorais." Chuir an Dr. de Hindeberg ina aghaidh, agus is dóigh liom go raibh an ceart aige. Bhí, ach níor éirigh leis a thaobh den scéal a insint go beacht. D'ionsaigh sé *Íosagán* agus fuair sé locht ar a lán nach raibh lochtach. Dúirt sé gur chuir an t-údar amú cúig nó sé de chéadta focal ag caint ar radharcanna gan tairbhe agus ar fhuaimeanna gan tairbhe. Dar liomsa gur saibhre scéal an Phiarsaigh lena linn sin. Ach sílim gur loit an tús an scéal—" Bhí sean-Mhaitias ina shuí le hais an dorais." Dar liom go bhfuil a lán lochtanna ar chuid cainte an Phiarsaigh ina chuid scéalta uilig cosúil leis seo:

> " Is minic a cheapas féin go raibh ceol ina chuid cainte; ceol íseal uaigneach mar bhí in andord an orgain in Ard-Theampall na Tuaime."

Níl a fhios agam cé an teanga í sin, ach tá a fhios agam nach Gaeilge í!

Ach fillim ar an " *explosive opening* ". Is olc an cleas é. Tá sé rómhinic ag scríbhneoirí an lae seo. Tá sé agam féin. Is féidir dó a bheith maith in áit áirithe, agus níl barr dó ansin féin gan a bheith ró-*explosive*. Tá sé maith go leor ag an Phiarsach in áiteanna eile, cuir i gcás: " Ní raibh Bairbre róshlachtmhar an lá a b'fhearr a bhí sí." Ar ndóigh, ba é *Íosagán* an chéad scéal a scríobh an Piarsach. Tá ábhar scéil mhóir ann, ach tá sé de chóir a bheith millte ag drochscríbhneoireacht. Chuir sé iontas orm go minic, an fear a chuir *Bruíon Chaorthainn* in eagar, gur scríobh sé *Íosagán* mar a rinne sé é. Níl locht ar bith ar an tús atá ar *Bhruíon Chaorthainn*:

" Ardrí uasal oirirc do ghabh flaitheas agus forlámhas ar cheithre treabhaidh Lochlann, dar ba chomhainm Colgán Crua-Armach, mac Dathchaoin Tréin. Do comóradh aonach agus ard-oireachtas leis an rí sin aon de laethaibh ar fhaiche a dhúna agus a dhea-bhaile féin, i gcathraigh na Beirbhe Lochlannaí . . ."

Ach dar liom go gcluinim " éigse " an lae inniu ag rá: " Tá an iomad aidiacht á n-úsáid sna seanscéalta. Níl ábhar samhailte ina gcuid focal. Níl doimhne ar bith iontu."

Anois, bhí nós insint scéil ag na seanúdair a bhí sár-mhaith, agus tá baint mhór aige le haidiachtaí. Ní raibh na haidiachtaí seo ach san áit a raibh *description,* agus ní raibh *description* ach san áit a raibh feidhm leis. Seo mar ní loingis na Lochlannach an t-aistear i *mBruíon Chaorthainn*:

" Do thugadar sruthléim shantach siúil sa bhfarraige bhfíordhomhain bhfliuch-thonnaigh lena longaibh dea-chumtha béal-leathana agus lena gcurachánaibh dain-geana dea-chumhraithe dobhriste sárluatha. Do shín-eadar na sárbhréidí saibhre solasmhara leis na seol-chrannaibh síthrighne sleamhna cruadha, agus do ghabhadar le seoladh na gaoithe gárthaí glanfhuaire ar chrioslach na mara móire goirme, gur éirigh an dubhfharraige ina gleanntaibh luaimneacha liathghlasa mearthuargantacha mícheillí; ionas nachar fágadh fallaing gan fáscadh, nó tairne gan tarraingt, nó breaclong gan briseadh, mura dteagmhódh lucht a bhfreastail agus a bhfortachta ina bhfochair. Ach níor chian dóibh amhlaidh sin gur traothadh gach neart anchumasach dá raibh sna tonnaibh tréangharbha, agus go raibh an mhuir ina clár chothrom chomhréidh, agus do thángadar go tinneasnach i dtír, agus thugadar aithne gurb i gCúige ollbhladhach Uladh do ghabhadar cuan agus calafort."

Dóigh le locht a fháil ar ár n-oidhreacht a rá nach dtáinig *Renaissance* na hEorpa a fhad linn riamh. Ní bhfuair ár sinsir oideas ón Ghréig agus ón Róimh. Níl ceird na bhfocal ag na seanúdair Ghaelacha mar a bhí sí ag údair na Gréige. Níl fairsingeach an eolais ag údair na Gaeilge mar a bhí ag údair na Gréige. Ach déanaimis staidéar ar an *Renaissance* a bhí san Eoraip sa chúigiú haois déag, agus beidh ceird na bhfocal agus fairsingeach an eolais againn. Bheadh againn, mar a dúirt scríbhneoir ar na mallaibh, " an scóp, iomadúlacht agus saoráid na bhfoirmeach, ach, thar gach aon ní eile, iomláine na meabhraíochta daonna." Nuair a léifeas tú an méid sin, déarfaidh tú gur rud duibheagánach an *Renaissance* agus nach bhfuil d'aigne inchurtha leis.

Ach ní hamhlaidh. Is furast an *Renaissance* a thuiscint. Bhí litríocht mhaith ag an Ghréig in aimsir na Págántachta, agus obair mhaith chloiche. Chuir an Chríostaíocht smacht ar an Phágántacht, agus míle bliain ina dhiaidh sin bhí an Chríostaíocht ag éirí chomh teann agus go raibh sí ag cúngú intinn na ndaoine. Ní raibh mórán de shíol smaointe sa Chríostaíocht. An obair chloiche a bhí i gcuid teampall na gCríostaithe, fuair siad a hiasacht ó chuid teampall na bPágánach. Sa tríú céad déag, agus go háirithe sa chúigiú céad déag, thuig éigse nach raibh an bhua sin ag an Chríostaíocht, toradh maith a bhaint as aigne an duine. D'fhill siad ar an litríocht agus ar gach ealaín eile dá raibh ann in aimsir na Págántachta, agus d'fhoghlaim siad iad agus chuir sin neart úr ina n-aigne.

Ba mhaith liom a chur in iúl do dhaoine nárbh é an fáth ar neartaigh litríocht na Gréige na héigse seo, cionn is litríocht na Gréige a bheith níos fearr ná litríocht dhúchasach ar bith eile. Ach bhí litríocht dhúchasach sa Ghréig. Ní raibh sa Fhrainc ná san Iodáil; ar scor ar bith ní raibh mórán iontu. Náisiún cruinn soiléir a bhí sa Ghréig, agus bhí aon teanga amháin aici. Bhí sí ina náisiún mílte bliain sula raibh an Fhrainc nó an Iodáil ina náisiún. Ní mó ná go bhfuil an Fhrainc nó an Iodáil ina náisiún go fóill. Cé leis Savoie, cé leis Provence, cé leis Gascoigne, agus cé leis Bretagne? Ar an ábhar sin bhí litríocht dhúchasach ag an Ghréig. Árthach a bhí inti a shiúlfadh. Ní raibh sa chuid eile de mhórthír na hEorpa ach mollta de mhaidí a bhí ceangailte le chéile. Shnámhfadh siad, ach ní raibh sé furast a n-iomramh; níorbh fhéidir seol a chur orthu. Ní raibh litríocht dhúchasach ar bith ar mhórthír na hEorpa ach sa Ghréig. Fuair siad a n-iasacht ón Ghréig. B'fhéidir go bhfaigheadh siad ó Éirinn í dá mbíodh eolas ar Éirinn acu. Ach b'fhaide Éirinn uathu. Bhí an fharraige ansin. Ba luaithe i mo shaol a chuaigh mise as Tír Chonaill go Corcaigh ná a chuaigh mé as Tír Chonaill go Toraigh. Fuair siad a n-iasacht ón Ghréig.

Níl mé ag séanadh go ndearna an *Renaissance* maith mhór do litríocht na hEorpa. Ach cad é an bhaint atá againne leis sin? Tháinig an Chríostaíocht go hÉirinn agus chuir sí amacht ar an Phágántacht. An bhfuil amhras ar bith ar aon Ghael beo gur scriosadh an litríocht Phágánta san am sin? Agus deir ár gcuid scoláirí—má tá aon fhear againn ar fiú scoláire a thabhairt air—gur am éigin idir an seachtú haois agus an t-aonú haois déag a cuireadh i gceann a chéile an Táin agus an Fhiannaíocht, agus an chuid eile den tseanlitríocht. Tá sé inste sa Táin go raibh an Táin caillte, agus gur cuireadh mar dhualgas ar Sheanchán Toirpeist dul agus í a fháil, agus gur éirigh Feargus Mac Róigh ó mharbh, agus gur aithris sé dó í. Má tá ciall ar bith leis sin, is é an chiall atá leis go raibh an Táin ag fáil bháis i gcuimhne mhuintir na hÉireann nuair a scríobh Seanchán Toirpeist í. Tá comharthaí go leor ar na laoithe Fiannaíochta gur tugadh ar scor ar bith athinsint orthu i ndiaidh na Lochlannaigh a theacht. Nach sin *Renaissance* ann féin? Ní raibh fairsingeach ag intinn na n-éigeas sa Chríostaíocht, agus fuair siad iasacht ón Phágántacht.

Anois nach furast callán a dhéanamh fá bheagán? Nach furast ceo a chur ar intinn duine le focal mór fada cosúil le *Renaissance*?

Níor loit ar bith dúinne *Renaissance* na hEorpa a chailleadh. Chaill muid fosta an méid seo agus níor loit ar bith dár gcuid litríochta é: níor éirigh leis an Ghaeilge mairstin go dtí aois na bpáipéar nuachta. Ach is é an chaill is mó atá orainn, is é an galar atá le leigheas againn, gur stad 90% de mhuintir na hÉireann de chaint Gaeilge.

Nach simplí sothuigthe an cheist, agus creidim gach aon cheist, ag an té a bhfuil ciall aige? Sin an fáth nach bhfuil mórán litríochta á scríobh i nGaeilge san am i láthair. Sin an fáth a bhfuiltear ag rá: "*Irish prose has not been schooled to express modern thought.*" Dá mbíodh tír na hÉireann ag caint Gaeilge, ní bheadh deacair ar bith orainn. Thiocfadh smaointe fá eitleán chomh réidh linn i nGaeilge agus a thig smaoineamh fá spád. Thug scata gadaithe iarraidh ollmhaitheas an tsaoil a cheilt ar chainteoirí Gaeilge, agus dúirt siad ansin: "*Irish prose has not been schooled to express modern thought.*"

Nach cóngarach a sheasaíos an fhírinne dúinn? Agus muid ar fad ag amharc thar mhullach a cinn, á cuartú thall úd ag bun na spéire?

Táimid go dona, mar sin de. Níl ach 10% againn ag caint Gaeilge. Agus lena chois sin, níl baint ar bith ag lucht na Gaeilge le saol na tíre. Is é mo mheas nach mbíonn fir éifeachtacha de chineál ar bith i dtír nach bhfuil saol éifeachtach náisiúnta aici. Is cliste go mór an dream daoine na hÉireannaigh ná na Sasanaigh, ach anois le fada is éifeachtaí an corrfhear a thóg Sasana ná an corrfhear a thóg Éirinn. Ach caithfimid ár ndícheall a dhéanamh, creidim. Caithfimid Gaeilge a chur i láthair na nÉireannach nach bhfuil Gaeilge acu. Caithfimid litríocht a scríobh fána gcoinne agus fá choinne ár muintire féin.

An chéad rud atá riachtanach an tseanlitríocht a chur i gcló, agus litriú an lae inniu uirthi, agus gan míniú ar bith i mBéarla uirthi. Ansin í a chur roimh gach cineál eile oideachais i scoileanna agus i gcoláistí, i measc sagart agus ollúna agus scríbhneoirí. Sa dóigh atá orainn fá láthair tá an cainteoir dúchais féin i gcontúirt é a mhilleadh le Galltacht gach aon nóiméad sa lá.

CLOG AN AITHREACHAIS

B'AOIBHINN an uair í i nGleann Seaghais i dTrian Chonghail nuair a chuaigh an triath Fearghus agus lucht a leanúna amach a sheilg ar fud Bheanna gormcheocha Boirche. Chuir siad an eilit mhaol ina suí, agus lean siad ó bhreacadh na maidine í go raibh nóin bheag agus deireadh an lae ann, agus ní raibh dul acu a leagan fá mhala shléibhe ná fá ghleann. Ach nuair a bhí dealramh deireanach na gréine ag cur maise ar mhala Shliabh an Iolair, chuaigh cú Fhearghusa de léim fán scornach uirthi, agus san am chéanna tháinig cú coimhthíoch agus chuaigh sa teagmháil mar an gcéanna.

Ba d'Artán Leath Chathail a bhí an cú coimhthíoch ag géillstin. Chonaic Artán agus a bhunadh an eilit ag aistear an tsléibhe agus chuaigh siad féin go teann cíocrach ar a tóir. Nuair a chonaic Artán an teagmháil chuir saighead fána shreang agus d'aimsigh an eilit. Ach bhí tallann seachráin ina láimh, dá dheoin nó dá ainneoin, agus in áit an eilit a loit ghoin sé cú Fhearghuis Ghleann Seaghais.

" Sín urchar an daill fán abhaill," arsa Fearghus Ghleann Seaghais, " Mharaigh tú mo mhadadh."

Agus le tréan gradaim don chú, agus le fearg agus le fuath d'fhear a ghonta, scaoil sé saighead le hArtán Leath Chathail nó gur fhág maol marbh ar dhosanna an fhraoich é.

Chaith sé ansin corp a chú ar a ghualainn agus d'fhill ar a ghiollanra agus ar lucht a leanúna go briste brúite brónach. Agus nuair a bhí siad ag caitheamh fleá agus féasta na hoíche sin, ní sláinte a bhí sa chorn ag Fearghus ach easláinte. Bhí a intinn ag éalú amach ó cheol na cruite agus ó ranntaíocht an bhaird go dtí an áit a raibh mala Ghleann an Iolair ag éagaoin faoi chorp coscartha Artáin Leath Chathail.

Agus níor shocair a intinn agus níor dhruid sé fabhra an oíche sin ach ag tiontú go céasta mar bheadh leaba de dheilg an draighin faoi. Bhí aithreachas an oilc agus eagla na héirice air, agus bhí a shaol uilig ina lá.

Agus ar feadh seal righin ina dhiaidh sin ní raibh faoiseamh le fáil ón osna aige. Agus lá amháin chuir sé scéala chuig ceardaí oilte, ardintinneach, dea-lámhach a níodh an iomad seod agus ailleagán le haghaidh teampall agus rí-áras, agus d'ordaigh dó clog airgid a dhéanamh a mbeadh a buille chomh binn le seinm an tsrutháin ghil ghlóraigh a bhí ag teacht ón tsliabh in aice lena dhún agus lena dhea-theaghlach.

Rinne, agus ansin d'ordaigh an triath an clog a chrochadh i dtúr an teampaill, sa dóigh a mbeadh sé ag bualadh a fhad agus bheadh buanfas ann, ag aithris don tsaol cad é an t-aithreachas a bhí ar Fhearghus Ghleann Seaghais as Artán Leath Chathail a mharú. Agus dúirt an giollanra agus lucht a leanúna gur mhaith an bharúil, agus rinne siad amhlaidh.

An té atá ag déanamh aithreachais, is é a anam féin a bheir comhairle a leasa dó, agus ní raibh Fearghus sásta agus níor taibhsíodh dó go ndearna sé an leorghníomh a bhí ar shlí a dhéanta. Agus níor shúgach i seilg é agus níor chríonna i gcomhairle é ní ba mhó. Agus bhí iontas ar lucht a leanúna agus ar a ghiollanra, nó ba dea-fhlaith Fearghus i gcogadh agus i síocháin, i bhfleá agus i gcomhar céille.

An dara tallann a tháinig óna anam chuige, chuaigh

sé i láthair Naomh Brónach, a bhí ina chónaí ar an uaigneas sa choill, ag machnamh agus ag déanamh troscaidh, agus ag móradh mórachta Dé.

" Níl saothar lae nó só oíche agam, a shagairt naofa," arsa Fearghus, " agus ní háin liom féasta nó seilg, ná filíocht, ná seanchas, ná léann. Níl gradam do mo dhúiche agam, ná uabhar orm fá mo chine. Agus ní fios dom leigheas mo ghalair, ós amhlaidh nach bhfuil sé de chumhacht agam an marbh a dhéanamh beo."

Mhachnaigh an bráthair fada buan, agus ghuigh sé go dúthrachtach, agus ansin labhair sé:

" A Fhearghuis uasail, más ceart mo chuid eolais, fear thú ar gheall Dia pian mhór agus lúcháir mhór dó. Ní dual duit a bheith i do rí i nGleann Seaghais níos faide. Tabhair cúl do do chine agus siúil bóithre agus garbhshléibhte na hÉireann, ag déanamh d'aithreachais. Ná codail dhá oíche faoi aon scraith, agus nuair a thaibhseofar duit go bhfuil an bás ag teacht i do dháil fill arís go Gleann Seaghais, agus beidh do lúcháir ansin le fáilte a chur romhat."

Chuir Fearghus cuireadh ar bhreithiúna agus ar aos léinn agus ar laochra a dhúiche agus dúirt leo go raibh sé ag imeacht uathu, agus gurbh éigean triath agus tiarna eile a chur ar Ghleann Seaghais. Agus níor bheag a mbrón nuair a d'fhág sé slán agus beannacht acu, nó mhéadaigh an tubaiste a ngradam.

D'imigh Fearghus ansin agus chaith de an t-éide saibhir ioldathach, agus chuir air garbhéadach mar ba dual d'fhear shiúlta na tíre. Agus d'imigh sé amach faoi shioc agus faoi shíon agus faoi thuile agus faoi ghrian, agus faoi gach cor agus tallann de cheithre ráithe na bliana. D'éirigh an saol folamh agus fíorghruama nuair a chuir sé de an chéad chnoc idir an domhan mór agus a dhúiche féin. Ach nuair a chuir sé de cnoc agus cnoc eile agus an iomad cnoc, fuair sé foighid. Casadh cuideachta go fras ar an bhealach dó, idir bhacaigh agus naoimh agus mhic léinn agus ríthe agus laochra. Chuaigh sé go Gartán agus go Cluain Mhic Nóis. Chonaic sé Toraigh, Ára agus Inis Faithleann, an áit a raibh rith na mara ag an smaoineamh ab uaigní ina chroí. Má chaill sé Gleann Seaghais ba leis Éire na gceithre mbeann. Agus má ba mhinic amuigh leis féin ar féar é, ní raibh sé in uaigneas, nó bhí a chuid aithreachais mar chuideachta aige. Agus níor chodail sé riamh dhá oíche faoin aon scraith.

Bhí a chuid laetha malltriallach, ach bhí a chuid blianta ar cosa in airde. Thromaigh a choiscéim agus ghealaigh a dhlaoi agus chrom a cheann. Agus oíche amháin i Leaba Chaoimhín i nGleann Dá Loch d'amharc sé suas ar spéir dhuibhnéaltach a bhí fá dhreach uafáis agus uaignis, agus taibhsíodh dó go raibh a sheal ar shéala a bheith caite agus gurbh indéanta aige filleadh ar a ghleanntán dúchais.

Nuair a tháinig sé go Gleann séimh Seaghais bhí súil the an tsamhraidh ar an dúiche, agus bhí dath an duilliúir agus meadhar na n-éan mar bhí nuair a d'imigh sé. Ach níorbh ionann an dreach a bhí ar árais daoine, agus níorbh ionann an dream a bhí ina gcónaí iontu agus an dream ar ghabh seisean forlámhas orthu ina óige. Bhí dúnta agus teampaill leagtha agus bhí craiceann na dúiche strócha mar shiúlfadh déad chíocradh an chogaidh air.

Chuir sé forrán ar dhuine óg choimhthíoch a casadh sa ród air cé a rinne an milleadh agus an bascadh reatha ar Ghleann Seaghais a bhí ag gonadh na súl aige.

" Na Lochlannaigh," arsa an duine óg, agus bhog leis ar nós chuma liom, nó níor chuimhin leis am nach raibh Lochlannaigh ann.

Iar gcluinstin sin d'Fhearghus Ghleann Seaghais,

tháinig tocht agus rabharta bróin air, agus chuaigh sé fá theampall Naomh Brónach a bhí an t-am seo ina sheiche fholamh gan díon nó foscadh gaoithe.

Nuair a chuaigh sé isteach sa teampall chonaic sé seanfhear críon liath mar é féin agus é ar a ghlúine ag bun na croiche móire a ghearr Naomh Brónach é féin lena láimh as an chreig. D'fhan Fearghus gur dhúirt an seanfhear an focal deireanach dá urnaí agus gur éirigh sé ina sheasamh. Ansin chuir sé forrán air sna focail seo :

" A dhuine chráifigh, duine mise nach bhféadfadh scrios an árais seo lúcháir a chur orm. Tógadh go rothamach mé sa dúiche seo, agus le linn m'óige bhí Naomh Brónach anseo agus ba mhaiseach a theampall agus ba mhór a urraim. Ach mo chreach! tháinig lámh gan choigilt agus scrios sí mo dhúiche agus chuir sí mo leatrom i dtaisce dom. Níl seachrán orm ná thabhaigh mé é, nó ba mhór mo choir i láthair Dé. Lá dá raibh mé ag seilg chuaigh cú a raibh gradam mór agam air, chuaigh sé chun spairne leis an eilit ar thaobh Sliabh an Iolair, agus tharla cú le Artán Leath Chathail—gur ba geal a lóistín ar neamh—sa teagmháil chéanna. Agus scaoil Artán Leath Chathail saighead agus mharaigh sé mo chú. Agus mo mhairg! scaoil mise saighead le feirg agus le fíoch díoltais nó gur mharaigh mé Artán Leath Chathail. Chuir Naomh Brónach ar shiúl mé ar fud réigiúin na hÉireann a dhéanamh aithreachais, agus thaobhaigh sé liom gan codladh an dara hoíche faoin aon scraith. Agus rinne mé amhlaidh agus shiúil mé mórbhóithre agus clúideanna cúil na hÉireann, mé féin agus m'aithreachas, ar feadh leathchéad bliain, nó gur taibhsíodh dom go raibh an bás ag tarraingt orm. Bhí lúcháir mhór geallta dom nuair a d'fhillfinn ar mo ghleann dúchais, ach ní fheicim ábhar áthais ar bith romham, a sheanfhir chroí, ach ábhar mór bróin, mar bheadh fearg Dé go fóill gan fhuaradh agus orlach de choinneal mo shaoil gan loscadh. Is mór mo chrá, a sheanfhir chóir, agus ní feasach dom cén aird a dtabharfad m'aghaidh."

Ghoil an flaith cráite os ard, go dtí gur chuir an seanfhear eile foighid in iúl dó.

" A Fhearghuis de fhréamh na rí," arsa an seanfhear liath, " ná bíodh amhras ort fá do lúcháir, nó tá sí romhat anseo go dearfa mar a gheall Naomh Brónach duit. Éist le clog Naomh Brónach ag bualadh : clog an aithreachais, an clog a chroch tú féin anseo le do dheamhéin a fhógairt don tsaol."

" Agus tá mo chlog anseo go fóill? " arsa Fearghus. " An clog binn a chroch mé i dtúr an teampaill le labhairt a fhad agus bheadh buanfas ann."

" Tá," arsa an fear críon liath, " ach ní feasach do neach beo cá bhfuil an clog sin anois, ach go gcluintear é de lá agus d'oíche, agus go háirithe in aimsir mórghaoithe agus doininne, ag seinm i gcliabhlach na coille. Nó, nuair a tháinig slua borb bradach na Lochlannach thar sáile, thug bráthair leis an clog as an teampall agus chroch sé i gcrann éigin de chranna na coille é, agus ní feasach do neach beo, ó d'éag an bráthair sin, cén crann a bhfuil clog an aithreachais crochta idir a ghéaga. Ach mura linn é is linn. Seinnfidh sé ansin a fhad agus sheasós an crann. Ná bac leis an chlog, a Fhearghuis uasail, ach féach ar do lúcháir anseo ag fanacht leat. Mise Artán Leath Chathail, agus ní raibh an bás i do shaighead."

" Míle altú do Dhia agus glóir dá Ainm," arsa Fearghus. " Dá mbínn ní b'óige bheadh brón saolta orm as a bheith ag déanamh aithreachais gan fáth. Ach tuigim rún an tiarna níos fearr ná sin. Is fiú mo phurgadóir mo lúcháir. Agus anois, a Artán chroí, mothaím an neart ag trá as mo sheanchorp, agus is léir dom nach bhfeicim grian an dara lae. Abair leo mo chur ar bhruach na coille, an áit a mbeidh mé in aice leis an chlog a choinneos mo chuimhne buan i measc daoine ar an tsaol seo."

Agus nuair a bhí an sruth trá ag sileadh síos an oíche sin, d'éag Fearghus Ghleann Seaghais, agus bhí Clog an Aithreachais ag bualadh ina chluasa an uair dhorcha dheireanach a bhí sé ar an tsaol, ag bualadh go glórach le gach síofadh dá dtugadh gaoth thaodach na hoíche.

Is iomaí trá agus grian, is iomaí ré agus ré dhorcha a tháinig agus a d'imigh, ná gur shíothlaigh cine Fhearghusa fá dhearmad i nGleann Seaghais, agus ciníocha a tháinig ina ndiaidh. Ach mhair an clog ag bualadh gach cor dá gcuireadh an choill le hoibriú na haimsire. D'éirigh stair ina fhinscéalaíocht agus d'éirigh gnásanna ina bpisreoga, nó níl sna blianta ach ceo a chruinníos ar ghnúis an chine daonna agus a níos doiléir í. Chuala cluasa gan chuimhne Clog an Aithreachais ag seinm, agus bhain siad ciall as a ghlór nach raibh ag cur lena oidhreacht. Dá mbuaileadh sé maidin ghealgháireach a bheadh lánúin ag dul chun a bpósta, tuar áthais agus dea-ratha a bhí ann. Dá mbuaileadh sé oíche bhuartha fhaire, goltraí na marbh agus caidreamh na síoraíochta a bhí ann. Dá mbuaileadh sé fá Nollaig, gairm theachtaire na hAidbheinte a bhí ann. Dá mbuaileadh sé Oíche Fhíl Bríde, forrán Bhríde ar na Gaeil a bhí ann. Agus dá mbuaileadh sé oíche Fhíl na Marbh, fógra critheaglach fhilleach na n-anam a bhí ann. Ba dona le mairnéalaigh ag dul chun farraige a chluinstin, nó le macraí seachanta ag dul fán tsliabh in aimsir ghéarleanúna. Ní cuimhne Fhearghusa a bhuanaigh sé, ach eagla oíche fán choill agus aineolas daoine fá thuras an tsaoil. Bhí sé sean, mar chlog. Thit Teamhair agus Aileach, Caiseal agus Ceann Coradh, Magh Bhile agus Cluain Mhic Nóis ina thimpeall; réabadh geataí agus loisceadh cathracha agus briseadh teagmhálacha ina thimpeall; tháinig ríthe thar sáile agus d'imigh ríthe thar sáile lena linn; fuair gach sraith de chéad sraith bua ar a chéile i reiligeacha na hÉireann; doirteadh linnte fola agus goileadh linnte deor; rinneadh a oiread grinn agus gáirí agus bhrisfeadh an anáil ag an ghaoth. Ba sean an clog é gan amhras. Ach cuireadh aois a ba mhó ná sin síos dó. Mhaígh siad go raibh sé chomh sean leis an chine daonna; chomh sean leis an chinniúint a mheileas mín agus garbh agus a mheileas go síor. Is doicheallach an glór a labhras leis féin agus ní labhradh Clog an Aithreachais nuair a labhradh cloig charadacha na dteampall; labhradh sé i gcónaí seal antráthach, mar bheadh sé ag iarraidh eagla a chur in iúl don chine gan dochar a bhí ag déanamh a ndíchill in achrann an tsaoil. Bhí sé gan chéile mura raibh an macalla ansin, agus bhí sé chomh dosheachanta leis an ghrian.

Agus bhí a shliocht air, d'fhág fiche duine a bhás air, agus rinne na mílte doicheall roimhe mar bheadh siad ag aifirt a uaignis air. Ní ghearrfadh duine crann den choill sin ar dhúiche na hÉireann. Choinnigh máithreacha a gcuid páistí ó chontúirt na dtobar agus na gcladach le heagla an chloig sin. Tráchtadh go critheaglach a chois tine air, nuair a thigeadh smúid ar intinn daoine. Ba mhó an scéal uaignis agus dothuisceana é ná Boirche na bPíob, agus ná each bán Charn Bhrád Neimhir, agus ná an long sí a bhí fá Chaisleán Ruairí agus ná Fíodóir taibhseach na ngleann. Nó níor casadh iadsan ach ar chorrdhuine, agus níor dhual do gach duine iad. Ach chuala bunadh Ghleann Seaghais an clog, ó dhuine liath go leanbh, agus ní raibh séanadh nó seachaint air. Neach aoir agus ansmaicht a bhí ann, nó nuair a chastar daoine ina gcónaí idir shliabh agus muir, is leor leo a bhfuil de chaidreamh taiseanna acu, dá laghad é. Bíonn na cnoic mhóra thostacha ag meabhrú os a gcionn, agus caschoill agus craobhacha agus an fraoch cas cadránta agus tuilte na n-eas ag oibriú ar a sleasa agus ar a slinneáin; agus gach spéir de spéartha na bliana ag cur athrú ar a ndreach; agus slogann siad caidreamh lách an chine daonna agus ní siad uafás atá faoi choim de. Agus bíonn an mhuir mhór, mheallacach, fhealltach ar an taobh eile, agus tonnta agus scaileoga chomh tiubh le cuisleanna inti, agus an beo agus an marbh ina n-éadálacha aici, agus í ag gabháil idir an domhan thoir agus an domhan thiar agus idir bun na creige agus bun na spéire. Is fann an duine é féin i láthair an dá chomharsa seo. Samhailtear dó gur le neacha iad nach troime leo ná an cáithleach é, agus is cneá mháis agus mhuineáil air a thruaighe féin. Ach cuir clog buanghlórach bagarthach i gcuideachta gach scáile sléibhe agus tuile trá, clog cealgach a bhíos ag spreagadh an uaignis, clog duibheagánach dofheicseanach—cuir sin isteach le huaigneas na dúiche agus is dona an daoirse é. Dá dtostadh sé le ham níor mhiste; nó, ó tharla nach dtugann an duine ach a sheal, bíonn sé cionúil ar gach ní a chaitear. Ach bhí sé mar bheadh neach de chuid na síoraíochta a chuaigh ar seachrán, anam a raibh geata na bhflaitheas druite air, nó drochaingeal a cuireadh i mbéal a chinn go lá an Bhreithiúnais.

Agus bhuail an clog sin sa choill i gCill Bhrónaigh ar feadh míle bliain, agus ansin thost sé.

Nuair a tháinig an bhliain 1885 níor mhór a raibh fágtha de dhúchas Gael fán tseanghleann sin Seaghais a ba ghnáth a bheith stairiúil. Bhí an teanga féin ag imeacht mar d'imigh Boirche agus mar d'imigh Clog an Aithreachais. Dream úr daoine a bhí ag teacht i gcrann ann, dream nach raibh an siamsa céanna iontu, dream nach raibh an deis labhartha céanna acu, dream nach raibh an caoideanas céanna iontu, dream nach raibh an urraim chéanna dá sinsir acu. Bhí seanlaoch amháin darbh ainm Conn Mac Aonghusa, agus bhí sé uaigneach, agus ba mhinic a dúirt sé nach raibh de chuideachta aige ach na cnoic agus Cuan álainn Chairlinne.

Bhí Gaeilge ag Conn, agus cuid mhór den tseanseanchas a ba mhoille ná sin. Ach ní thugtaí aird ar bith air. Ní éistfí le scéal ná le hamhrán Gaeilge, agus ba bheag an tsuim a bhí acu sna *come-all-yes* ach a oiread. Bhí siad ag cailleadh dáimhe le hamhrán na himirce féin:

Our ship now lies at Warrenpoint,
For Boston we set sail,
I wish her safely o'er the sea
With a sweet and pleasant gale.

Ach ní raibh ábhar gáire ar bith ag na hUltaigh mhagúla ar Chonn a ba mhó ná scéal an chloig. Nó chuala Conn Clog an Aithreachais ag bualadh sa choill nuair a bhí sé óg, agus ní raibh gar a rá leis gur samhailt a chonacthas dó.

Nuair a d'éirigh na daoine óga tuirseach de ag caint ar an chlog, thosaigh siad a ligean orthu féin go raibh siad i bhfáth leis an chlog a chuinstin, agus a chumadh scéalta fá na huafáis a chonaic siad, go dtí go raibh sé i mbarr a chéille acu. Agus nuair a bheadh scata ag áirneál aige, bheadh duine éigin cinnte seanchas a tharraingt ar an chlog, de gheall ar a chur ar obair.

Ach tharla an bhliain seo go dtáinig oíche gaoithe

móire nach raibh a leithéid ann le cuimhne aon duine sa ghleann, mura raibh Conn féin ann. Rinne an doineann tormán fá ghiallbhaigh na dtithe a chuir uafás ar chroí daoine, agus bhí iascairí ina suí fána gcuid teallach ag caitheamh píopaí go tostach, agus na mná ag déanamh trua de dhuine ar bith a bhí ar bharr na farraige a leithéid d'oíche.

Chuaigh sé thart, mar chuaigh gach aon doineann riamh, agus bhí cruacha leagtha ina dhiaidh agus múr ar an fhéar agus crainn mhóra ina luí agus smior a gcuid fréamhacha le feiceáil geal bán stróctha. Lá nó dhó ina dhiaidh shiúil sean-Chonn Mac Aonghusa suas an bealach mór in aice na coille, ag machnamh ar an tsaol a bhí ag éirí ní ba tarraingtí gach lá dá raibh sé ag druidim leis an bhás. Casadh fear den chomharsain air, agus chuaigh siad a chaint fán doineann.

" Ní raibh a leithéid d'oíche ann le cuimhne aon duine dá bhfuil beo," arsa an fear seo, fear darbh ainm Séamas Mac Giolla Fhiontain.

" Ní cuimhin liom a leithéid ón oíche a cailleadh an *Lord Blaney,*" arsa Conn. " Tá sin dhá bhliain déag agus daichead ó shin. Chonacthas tais an *Lord Blaney* trí huaire ó shin, agus níl aon uair dá bhfacthas í nár cailleadh bád."

" Is minic a chuala mé iomrá air sin," arsa Séamas. " Ach sin tais nach gcluinim aon duine ag caint anois uirthi: Clog an Aithreachais. Is dóigh liom nach bhfuil aon duine beo a chuala é."

Chuir sé aoibh mhagúil air san am chéanna, ach ní thug sean-Chonn faoi deara é.

" Tá, maise," ar seisean, " tá fear beo a chuala an clog sin, mar atá mise. Oíche amháin a bhí mé ag siúl an bhealaigh seo . . .", ag toiseacht agus ag insint dó.

Bhí meitheal fear ag obair ar thaobh an bhealaigh

mhóir, agus iad ag gearradh suas crainn mhóir a leag an ghaoth. Crann mór a bhí ann a chonaic na céadta bliain, agus bhí craobhacha as a bhí ag dul fiche slat gach aon taobh. Bhí cuma chróga ar an obair, na sábha ag gearradh go croíúil agus min sháibh ina luí ar an fhéar ina sraitheanna.

Fir óga a bhí iontu, agus bhí sean-Chonn ag dúil go gcuirfeadh siad forrán air go crosta agus go magúil mar ba ghnáth leo. Ach níorbh amhlaidh a bhí, ach d'amharc siad air agus urraim agus iontas ina súile. Agus labhair fear amháin acu agus dúirt sé :

" Ní bréag ar bith nó is ina iontais atá an saol. Is iomaí uair a chuala muid daoine ag caint air, agus ba bheag a shíl muid go bhfeicimis féin é."

D'amharc an seanduine thart agus chonaic sé clog mór airgid ina luí ar an fhéar: Clog an Aithreachais a bhí caillte le míle bliain.

Istigh i ngabhal an chrainn a bhí sé crochta, agus d'fhás an crann thart air, agus ar feadh míle bliain níor léir don duine é, agus nuair a chroitheadh séideáin gaoithe an crann bhuaileadh sé. Agus fá dheireadh caitheadh an clíce a bhí sa bhuailteoir agus thit an buailteoir anuas i ngabhal an chrainn, agus níor cluineadh Clog an Aithreachais ní ba mhó. Is doiligh a dhul de na seanfhundúirí, agus bhí an ceart ag Conn Mac Aonghusa.

Bhí a shliocht air, bhí meas ar a chuid cainte ón lá sin amach, agus dá mbíodh sé i gceartlár na bréige chreidfí é. Agus nuair a d'éag sé mhair a chuimhne ina dhiaidh. Agus chroch siad Clog an Aithreachais i dteach an phobail i gCaisleán Ruairí, agus tá sé ansin go fóill.

MIONSCÉALTA

AN CAIPTÍN Ó BAOILL

LÁ breá samhraidh a bhí ann, ard-tráthnóna. Bhí an ghrian go díreach ag titim siar, agus bhí an scáile ag fás anoir ar na cnoic. Bhí an fharraige amuigh idir na rosa breaca creagacha.

Bhí mé ag coimhéad ar an gha gréine ag teacht isteach ar an doras. Ba ghnáth liom suim mhór a chur sa gha gréine seo nuair a bhí mé i mo ghasúr, agus níl aon uair dá bhfeicim ó shin é nach gcuirim suim ann. Ní thig sé isteach ar na doirse anseo sa chathair ar chor ar bith.

Ach stad an clab agus an comhrá sa teach a raibh muid ag cuartaíocht ann. Chuaigh bean an tí a rá amhráin:

> An lá sin a d'fhág mise sráid an Chlocháin Léith,
> Bhí na boltaí ar mo chaoltaí agus an síon ag dul in m'aghaidh;
> Ag teach mór Dhoire Luachair sé fhliuch mé mo bhéal,
> 'S gur i bpríosún dubh Leifir a fuair mé deireadh achan scéil.
>
> Beir scéala uaim go hÁrainn ionsar Mháire Fheilimí Óig,
> Thart siar go Poll an Mhadaidh ionsar mo chuid aois óig;
> Aithris do mo dhaoine a d'fhág mé faoi bhrón,
> Go bhfuil mé gabhte i bpríosún fá bhuarach na bó.

Tháinig an chaoinbhean san oíche agus bheir sí ar mo láimh—rinne mé dearmad den gha gréine, agus den tráthnóna samhraidh sin, agus den tsamhradh ar de é, agus den bhliain ar de an samhradh. Chonaic mé an long amuigh i mbéal Árann, cúr geal ag briseadh ar chreagacha, sruthanna fealltacha ag briseadh tríd chaolgais idir na hoileáin. An caiptín ag cur amach comharthas ag iarraidh tarrthála. An Caiptín Ó Baoill ag fágáil an phoirt ag tarraingt air, agus trí cheathrú córach ag cur boilg ar a sheol. An bád ag éirí agus ag titim, an tonn ag greadadh a gualann, agus an Baollach go healaíonta ag tabhairt stiúradh tirim di.

Téid sé i bhfastó i gcuid slabhraí na loinge, agus in airde leis go héasca thar an taobh. Ar ball beag tá an caiptín ina sheasamh ag taobh fhear na stiúrach agus an long ag bualadh suas ag tarraingt ar an chladach.

Ach daoine atá ina gcónaí a chois cladaigh, tá cineál de chreideamh acu gur leo féin gach a dtiocfadh as an fharraige. Siúd na daoine ag cruinniú ar an long as gach aird agus ag iompar leo earraí agus adhmaid go bhfága siad an long feannta go dtí na hasnacha. An caiptín ina sheasamh ag amharc ar an Bhaollach, ionann's a rá: " Seo an tarrtháil a rinne tú orm!"

" Fan ort go fóill!" a deir an Caiptín Ó Baoill, ag breith ar ghunna agus ag scaoileadh urchair san aer. Ach, a mhic na n-anam, is amhlaidh is mó de mhisneach a thig chuig na daoine dá thairbhe. Sílidh siad gur comhartha atá ann. Cruinníonn a oiread eile acu. Cuireann an caiptín scéala chuig na saighdiúirí.

Ag imeacht ón ché dó beiridh an Baollach ar ghiota bheag de rópa agus bheir sé leis é. Ní fiú sé pingine an rópa, níl sé ag smaoineamh air féin ar chor ar bith san am. Ach tá an caiptín ag iarraidh cúitimh, agus cuiridh sé na saighdiúirí i ndiaidh an Bhaollaigh. Ní thuigeann an duine gránna é go dtí go gcastar i bpríosún dubh Leifir é. Agus ansin insíonn a chroí dó é:

Go bhfuil mé gabhte i bpríosún fá bhuarach na bó!

Tá a sáith de shaibhreas an tsaoil ag an mhuintir ar leo an long. Tá sé chomh furast acu long eile a chur chun farraige agus atá sé ag an Bhaollach buarach eile a fháil dá bhó. Níl ag an bhochtánach ach a bheo, ach caithfidh an fear saibhir sin a fháil in éiric a chuid maoin shaolta. Caithfidh sé an t-iomlán a fháil ar son an ruda nach bhfuil baol ar iomlán. Tá an Baollach le teilgean chun a chrochta. An dlí! An dlí!

Oíche amháin ina chodladh sa phríosún tig a mháthair i mbrionglóid chuige, agus insíonn sí dó nach bhfuil an bás i ndán dó an iarraidh seo. Músclaíonn sé, agus tá an dorchadas thart air chomh dlúth le holann. Gan duine dá chairde dá chomhair. . . .

Ach tá! Tá fear as a pharóiste féin sa tseomra in aice leis—fear atá i ndiaidh trí mhí a fháil as bheith ag déanamh póitín. Tá fuinneog nó poll nó foscladh éigin sa bhalla. Scairtidh sé leis:

" A Phroinsís, an bhfuil tú 'do chodladh?"

" Níl, a chailleach!"

Mar seo a labhair Aodh Mac Aodha Mhic Mhánusa agus Art Mac Sheáin Mhóir Mhic Choinn Bhacaigh le chéile fada ó shin i gCaisleán Bhaile Átha Cliath. Nach te an teanga an Ghaeilge istigh anseo idir ballaí fuara —an teanga a d'fhaibhir agus a d'fhás agus a tháinig i méadaíocht i dtír nach raibh príosúin ar bith inti!

" Bhí mé ag brionglóidigh," a deir an Baollach, ag toiseacht agus ag insint dó.

" Bíodh uchtach agat, a mhic," a deir Proinsias Mór. " Ní rachaidh sealán na croiche fá do mhuineál an iarraidh seo."

Agus ní dheachaigh. Fuair sé ar phríosún é, príosún agus daoirse lena sholas. Ba sin a bhfuair sé de laigse i luach an rópa.

Tá siad uilig ina gcré, an Baollach agus an caiptín agus an drochbhreitheamh agus an droch-choiste. Ach ceoltar an t-amhrán go fóill. Nach millteanach an mianach litríochta atá i saol na ndaoine?

AN tSIOLPACH

Bhí sin ann san uair a raibh géarleanúint agus ansmacht in Éirinn, bhí fear de Bhaollach ina chónaí i dTuath Bhaollach i dTír Chonaill.

Tallann de chuid na hóige, nó b'fhéidir trugalacha achrannacha éigin de chuid an tsaoil a tháinig air, agus chuaigh sé in arm na Sasana. Ní raibh sé i bhfad ansin gur éirigh sé tuirseach díobh agus gur fhág sé iad.

Tharraing sé ar an bhaile. Agus ó tharla nach raibh sé rófhonnmhar ar a dhul fá thithe tháinig an oíche air ar an uaigneas. Agus tháinig an t-ocras air. Ní raibh an dara suí sa bhuaile ann ach tarraingt ar an chéad solas atífeadh sé. Agus rinne sé sin.

Casadh isteach i dteach mhór fhairsing é, agus bhí craos tine thíos agus cuid mhór ban istigh, agus gan oiread agus fear amháin.

" Bail ó Dhia oraibh, tá sibh scaifte gnaíúil ann," arsa an Baollach.

Níor chuir na mná fáilte ar bith roimhe.

" Má thig na fir 'un a' bhaile agus tusa a fháil anseo, muirfidh siad thú," ar siadsan.

" A Thiarna, nach doicheallach an mhaise dóibh é," arsa an Baollach. " Tugaidh greim bídh dom ar scor ar bith, nó tá ocras orm. Is fusa le fear a dhul i láthair an bháis nuair atá a sháith ite."

Bíonn mná bogchroítheach, agus thug siad pláta feola chuige agus prátaí agus bainne. Shuigh sé ansin agus thosaigh sé a ithe agus a chomhrá, agus ba ghairid go raibh an teach lán grinn agus gáirí. Ach nuair a bhí an

Baollach ag cur an ghreama dheireanaigh ina bhéal chuala siad na coiscéimeanna ag tarraingt orthu.

" Na fir!" ar siadsan. " Na fir!"

Bhí moll de chraicne mart ar bhun an urláir.

" Gabhtseo," arsa bean acu, " gabh isteach faoi seo."

Chuaigh an Baollach isteach faoi na craicne agus luigh sé ansin, agus é ag amharc amach lena leathshúil. Isteach le naoi nó deich de chloigne fear, fir bhreátha urrúsacha agus piostail ina gcuid criosanna leo. Dar leis an Bhaollach nach raibh cuma dhoicheallach ar chor ar bith orthu.

Níorbh fhada a bhí siad istigh nuair a chuaigh beirt acu amach agus thug siad isteach damh mór neartmhar. Smaoin an Baollach gur cheithearn choille a bhí iontu agus gur seo cuid den chreach.

Chuaigh siad a mharú an daimh ach ní raibh dul acu talamh a dhéanamh de. Bhí fear ina dhiaidh le tua, ach bhí an damh ag dul ar an daoraidh agus ag roiseadh leis tríd an teach.

Leis sin léim an Baollach aniar as faoi na craicne, sciob sé an tua as láimh an fhir agus rinne sé corp den damh le buille amháin.

Dar leis na mná, seo deireadh. Ach ní dhearna na fir ach gáire a dhéanamh agus ceist a chur:

"A mhná, cá bhfuair sibh an tsiolpach bhreá fhir seo?"

D'iarr siad air fanacht acu, agus d'fhan, agus ní thug siad aon ainm air ón lá sin amach ach an tSiolpach.

Ach ní raibh ag ceithearn choille riamh ach beatha an ghiorria. Ba ghairid gur cuireadh luach ar cheann na Siolpaí.

Ba ghnáth leis dul chuig fear a bhí ina chónaí ag bun Shliabh Sneachta, go mbaineadh an fear sin an fhéasóg de. Lá amháin shiúil sé isteach chuige.

D'éirigh an seanduine agus chuir sé faobhar ar an

rásúr, agus chuir sé an sópa ar an tSiolpach. Bhí iníon an tseanduine ina suí cois na tine agus gan í ag labhairt. Ar sise sa deireadh :

" Dá mbíodh ceann óir ormsa ní ligfinn d'aon fhear dá bhfaca mé riamh an fhéasóg a bhaint díom."

Baineadh léim as an tSiolpach agus d'amharc sé ar an tseanduine. Níor thaitin a ghnúis leis.

" Tá an ceart agat, a chailín," ar seisean, agus bheir sé ar an rásúr agus bhain sé féin an fhéasóg de féin.

Ina dhiaidh seo chuaigh sé isteach go hÁrainn. Bhí fear ón tír mór a bhí ar a thóir go cruaidh, mar a bhí Conn na gCeann. Rinne sé féin agus fear de mhuintir an oileáin amach eatarthu go lasfaí sop cocháin ar an oileán dá dtigeadh an tSiolpach isteach. Donnchadh an tSoip a bheirtear ar an fhear seo.

Bhí bean an tí fealltach fosta. Chuir sí uisce i gcuid piostal na Siolpaí agus d'fhuaigh sí osáin a bhríste. Cuireadh amach an sop, agus tháinig Conn na gCeann isteach.

An chéad rud a mhothaigh an tSiolpach an tormán ag an doras. Thug sé iarraidh ar a bhríste, ach ceapadh ann é. Thug sé iarraidh ar a chuid piostal, ach níor dhearg siad. Bhain Conn na gCeann an chloigeann de le tua, agus chuir sé isteach i mála é. Chuir sé bratóga fir bhoicht air féin agus d'imigh sé go Baile Átha Cliath go dtógadh sé luach an chinn.

Tharla i dteach ar lóistín é ar an bhealach, agus thug buachaill óg a bhí istigh faoi deara deoir fhola ar an mhála. D'oscail sé é, agus fuair sé cloigeann na Siolpaí. Bhain sé an ceann de ghamhain agus chuir sé isteach sa mhála é. Thug sé leis ceann an ghleacaí go Baile Átha Cliath agus thóg sé an t-airgead.

" An tú féin a mharaigh é? " arsa an t-oifigeach ansin leis.

" Ní mé," ar seisean.

" Is maith liom sin," arsa an fear eile.

Níorbh fhada ina dhiaidh sin go dtáinig Conn na gCeann isteach chun an Chaisleáin. Bhí fuil an ghamhna síos ar a dhroim.

" Cad é atá leat?" arsa an t-oifigeach.

" Ceann na Siolpaí," arsa Conn.

" Táispeáin dom é."

Chuir sé béal an mhála faoi agus thit cloigeann an ghamhna amach.

" Ó, ní sin ceann na Siolpaí," arsa an t-oifigeach. " Bhí ceann fir ar an tSiolpach."

Thiontaigh Conn ar a sháil agus a chroí dubh le feirg. Nuair a bhí sé ag gabháil amach ar an doras scairt an t-oifigeach leis:

" A Choinn, tá do chuid bratóg salach."

" Nífidh uisce iad," arsa Conn.

" Ní nífidh," arsa an fear eile. " Ní nífeadh an Bhóinn iad!"

Sin uilig é. Tá mé ag cur deireadh leis agus é domhain san oíche. Tá cuid cnoc Thír Chonaill os coinne m'intinne, iad féin agus a gcuid scáilí agus a gcuid uaignis. . . . Nach cuimhin leat le n-aithris mar tugadh an Ghlas Ghaibhleanna mhór go Toraigh ar lorg a rubaill? . . . Marcach sí Bhinn Fhoibhne a bhíodh ag siúl le Ó Dónaill.

. . . Idir speal is corrán a thiocfas an cogadh. . . . Dún Cruitín, Dún Cruitín, fá mbuailtear smitín. . . .

" Good-night," said I, " and God be with
The tellers of the tale and myth,
For they are of the spirit-stuff
That rides with Count O'Hanlon."

BRUÍON DHROIM AN UAIGNIS

" Bhain seachrán sí dom i dtús na hoíche
'S deir daoine go mbréag é."

Tharla seo domsa agus domsa a tharla sé, cé nár inis mé d'aon duine riamh é nach dtug clú dom as cumraíocht nár thabhaigh mé.

Oíche shocair fhómhair, nuair a bhí cúl ar ghealach na gconlach, bhí mé ag airneál i dtigh Mhicheáil Mhansáin idir dhá shliabh. Dá bhfaighinn luaíocht ar son gach aon oíche dar chaith mé i dtigh Mhicheáil, ní bheadh mórán Purgadóra orm. Ar ndóigh, bhí an fraoch go dtí an doras ann agus cnoic ina dtoirteanna leis an spéir; agus níor dhearg tine mhóna in aon áit riamh ba mhó a d'fhóir di ná é. Bhí póitín ann, i bhfolach go formhothaithe, agus gan aon duine á dhíol leat do d'ainneoin. Agus bhí na cártaí agus na cearrbhaigh ann, agus an seanchas agus na seanchaithe.

Uair an mheán oíche d'fhág mé féin agus Eoghan Ó Fríl teach Mhicheáil Mhansáin, agus bhí a oiread solais ann go díreach agus gur léir dúinn an tsreang de bhealach chaol bhán a bhí ag dul síos tríd an fhraoch go Gleann an Bhroic.

D'ól muid póitín agus d'fhuaraigh sé ionainn agus bhí muid chomh céillí le dhá easpag ag teacht anuas Gleann an Bhroic dúinn. D'fhág mise slán codlata ag Eoghan ag croisbhealach Ghleann an Bhroic, agus chor mé féin anuas aichearra an tsléibhe tríd Dhroim an Uaignis.

A fhad is nach bhfuil sé chomh dorcha agus go bhfuil tú i gcontúirt truisle a bhaint asat, tiocfaidh smaointe domhaine tríd do cheann má tá tú ag siúl leat féin amuigh san oíche. Thosaigh mé féin a mheabhrú fán ainm a tugadh ar na maolacha donna sléibhe sin, nach bhfaca aon duine taibhse riamh iontu. Ní raibh uaigneas orm féin, agus níor chuala mé aon duine riamh a raibh uaigneas air ag dul tríd Dhroim an Uaignis. Ní nach ionadh, nó níl neach nó ní de do chomhair a bhéarfadh do leithéid féin eile i do cheann; agus thug mé faoi deara gur lena leithéid féin eile a bhíos duine ag dúil i gcónaí nuair a thig eagla air go bhfosclófar an tsíoraíocht, oíche rédorcha nó smúidghealaí. Ní raibh teach duine bheo nó leacht duine mhairbh ar Dhroim an Uaignis. Ní tháinig féar gortach ar aon duine féin ann. Mothú saoil ní raibh ann—ach cibé a bhí ag tearcluibhearnach an tsléibhe—mura bhfágadh molt a shéala ar dos, san áit nár bhaol go ndéanfaí filíocht fána ghníomhartha.

Bhí mé ar machnamh air seo gur éirigh mo chuid smaointe chomh marbh leis an fhraoch a bhí thart orm. Agus líon m'aigne de chineál d'uafás fán domhan fholamh dhorcha, nach raibh an cine daonna in inmhe a choinneáil muscailte. Shíl mé gur ón spéir a bhí an fannsolas ag teacht a bhí ag teacht anall an fraoch chugam mar bheadh lán mara mallmhuire ann, go dtí go dtug mé faoi deara ag éirí geal le gach aon choiscéim é. Bheir an eagla greim fuar pianmhar ar mo chroí. Spléachadh corrach dá dtug mé, chonaic mé go raibh an solas ag cúngú anonn uaim go raibh sé ina sciath gheal céad slat uaim, cruinn uilig i dtoirt a bhí fá mhéid dorais. Thiontaigh mé agus shiúil mé díreach i leataobh, ach ní dheachaigh mé i bhfad go bhfaca mé go raibh mé ag tarraingt caol díreach ar chroí an tsolais arís.

Siúlaim ó thuaidh nó ó dheas nó soir nó siar, bhí an solas sin díreach romham.

Má ba deacair liom siúl, ba deacra liom suí. Agus d'imigh mé liom isteach i gcroí an tsolais, go dtí gur casadh mé in aice toirte a bhí chomh mór le caisleán, agus ní thiocfadh liom de shamhailt a thabhairt di ach cruach de sheolta geala loinge. Bhí an solas ag teacht amach ar bhearna a bhí sa chruach seo.

Nuair a bhí mé ag a taobh thug mé faoi deara gur cúirt aisteach neamhshaolta a bhí inti, agus go raibh a cuid ballaí chomh mín le eangach shíoda. Shiúil mé isteach mar bheadh sé i ndán dom. Bhí an taobh istigh den bhruíon mar bheadh clapsholas a mbeadh an ghrian i ndiaidh í féin a fholcadh ann. Ní raibh ann ach an t-aon seomra, a bhí chomh fairsing le aon teampall dá raibh mé riamh ann, agus bhí sé lán de shuíocháin a bhí déanta mar bheadh trí cheathrú gealaí ann, agus fir agus mná ina suí orthu. B'iontach na foilt a bhí orthu agus b'álainn a n-éide, croite fána gcorp mar bhíos an cúr leis an toinn nuair a lúbann sí a muineál isteach i mbéal na trá.

Sheasaigh mé seal ansin i mo mheall gan inmhe. Shíl mé ó thús nach raibh glór le cluinstin ann ach oiread agus bheadh ar mhullach an Eargail. Ach, mar bheadh mo chluas ag teacht isteach ar ghuth saoil eile, chuala mé caoinghlórtha a chealg m'aigne mar chealgas luí gréine na Féile Eoin í. Agus chuala mé ceol, agus thug mé faoi deara ansin na cláirseacha agus iad mar bheadh iongóga thrí gcoirnéal a bhainfí as an tuar cheatha.

Cad é a dhéanfainn? Ní raibh sé de mhisneach ionam a theacht i láthair agus m'ainm agus mo shloinne agus mo dheacair a chur i láthair na cuideachta. Má thug aon duine faoi deara mé ní dhearna siad iontas ar bith díom. Agus b'fhaide liom ná aon eadramh dá ndearna mé i m'óige an seal a chaith mé ansin idir dhá chomhairle go critheaglach.

Ach bhí bruinneal óg ina suí in aice an dorais léi féin, agus thóg sí a súil agus chonaic sí mé. Agus nuair a bhreathnaigh sí lena rosca malla mé, rinne sí comhartha dom a theacht ionsuirthi. Agus tháinig go lúcháireach. Nó, tá sé chomh maith an fhírinne a dhéanamh, bhí mé ag cailleadh spéise in imirt agus in ól, ó casadh Méabha Ní Mhaoláin orm. Nó ní hé an cearrbhach mór, nó an pótaire mór, nó an trodaí mór, nó an t-oibrí mór is fearr a ní cumann leis na mná. An té ar mhian leis sin a dhéanamh, ligeadh sé a neart le sruth, agus bíodh sé caoin ina ghlórtha, murar fusa leis a bheith greannmhar gan chéill. Bhí mise i ndiaidh an t-eolas seo a fháil, agus shíl mé gur ól mé íocshláinte an tsaoil lena linn. Agus b'fhéidir gur ól, ach scéal cinnte gur ól mé íocshláinte an tsaoil eile an oíche sin, ag comhrá leis an bhruinneal úd. Nuair a bhí mé ag beannú di, bhris sí mo scéal leis an cheist seo, agus ceist í nach gnáth tús a chur ar chomhrá léi:

" A óigfhir, a chroí, cad is barúil duit air seo? Cé acu is mó an t-aoibhneas an t-áthas nó an brón? "

Agus thosaigh mise ansin, agus ní thiocfadh liom de shamhailt a thabhairt dom féin ach píoba a seinnfí orthu. Ná ní mise a bhí ag caint. Bhí mo chuid smaointe ag réabadh chugam mar bheadh iasc a mbeadh aiste orthu. D'ainmnigh mé seacht gcineál bróin, brón a thig le ceol, brón a thig le do ghníomh féin agus brón a thig le gníomh duine eile, brón a thig le scarúint agus brón a thig le bás. Agus i measc ar dhúirt mé, mhaígh mé go raibh íneamh ar áthas i gcónaí, agus go raibh an brón iomlán, cibé sórt ar de é. Bheadh sé ag cur iontais ó shin orm cá bhfuair mé é ach gurb é gur tharla oiread an oíche sin dom a bhí thar a bheith ag cur iontais ann.

"A Dhiarmaid Ultach," ar sise nuair a bhí dhá dtrian oíche caite againn, "is rómhaith is léir dom go bhfuil gaol anama againn dá chéile."

"Déarfainn gur thuig mise sin romhat," arsa mé féin, "ach leisc tréas a dhéanamh ag maíomh nach raibh tú in-intleachta liom."

"An bhfeiceann tú an fáinne seo," ar sise. "Tá sé déanta de dhá eascann óir a bhfuil péarlaí mar shúile acu. Samhailt atá ann ar dhá neach a ní cumann lena saol le chéile. Ná ní shiúlann neach ar bith díreach; dhá rúid a théid díreach ní chasfar ar a chéile go deo iad, sin nó gearrfaidh siad agus loitfidh siad a chéile. Ceanglóidh an fáinne sin mise agus tusa má bheirimse duit i do láimh é, agus tú a chur ar do mhéar. Beidh an saol céanna ansin agat atá agamsa."

Deir an Bíobla gur tugadh fear beo beathaíoch suas chun na bhFlaitheas fada ó shin. Is dochreidte liom an scéal, nó tá mé ar déanamh dá dtigeadh agus a chur i gcead aon duine beo an saol seo a fhágáil nach rachadh sé. Agus b'amhlaidh mar a bhí sé agamsa. Tháinig Méabha Ní Mhaoláin roimh m'aigne chomh soiléir agus chonaic mé riamh ó shin i gcois na tine agam í.

Agus cé nár labhair mé, agus nach raibh ann ach an smaoineamh, mhothaigh mé an bhruíon ag imeacht uaim mar bheadh long ar toinn ann, nó, b'fhearr a rá mar bheadh seolta loinge ann a bheadh ag athrú le bordáil. Scaradh mé féin agus an bhean óg trí slata ó chéile agus tháinig ceo ar an áit uilig. Ach ansin tháinig an draíocht a chuir an chúirt orm arís, agus d'éirigh gach aon chineál mar bhí sé roimh ré.

Ach níor mhair sin i bhfad. Dúirt mé go raibh an chúirt ar imeacht uaim mar bheadh long ann. Bhí sí mar bheadh long gan stiúir á criathrú le doineann, agus ba iad mo chuid mianta féin an doineann. Chugam agus uaim bhí an bhruíon á caitheamh, agus an bhean óg agus a lámh sínte leis an fháinne, agus pianpháis uirthi nach bhfuil insint air.

Sa deireadh tháinig a lámh fá dhá orlach de mo láimhse. Chaith sí an fáinne chugam, agus thit sé ag barr mo choise. Scairt mé ar ainm Mhéabha, agus mé ag smaoineamh ar an chuideachta a bhíodh fán tine i dteach a hathara móir. D'imigh an bhruíon siar an fraoch mar shiúlfadh scáile ar an lán mara lá cruaidh gaoithe, nó mar d'éalódh ceo maidine de shliabh. Bhuail meáchan millteanach idir an dá shúil mé agus thit mé . . .

Bhain sé gearrthamall asam mo chéadfaí a chruinniú. Agus nuair a tháinig mé chugam féin cad é atím ach fáinne a bhí déanta de dhá eascann óir ina luí ag mo thaobh. Agus, ar ndóigh, bheinn cinnte gur ar meisce a bhí mé, agus bheinn sásta i m'intinn, ach gurb é go raibh sé ansin agus gan aon duine saolta a dtiocfadh leis a insint dom cá has a dtáinig sé.

Thug mé liom é, agus níor mhothaigh mé agus ní fhaca mé dada. Ach bhí mé mar bheadh duine a mbeadh neascóid ag ithe an chroí as agus é á cheilt ar an tsaol mhór. Bhí mé mar sin ar feadh sheacht lá, mar níos daoine áireamh ar laetha nuair nach bhfuil a fhios acu cad is imní ann.

Agus ansin bhí mé féin agus Méabha inár suí a chois Loch Aoibhinn an lá deireanach de laetha maithe an fhómhair. Chaith muid tráthnóna ansin, agus thigeadh amanna orm a ndéanainn leathdhearmad den fháinne, nó bhí Méabha i gceann a bliain agus fiche agus bhí muineál uirthi mar an fhaoileann ann.

Ach dar liom go raibh sé de dhualgas orm scéal an fháinne a insint di. Chuir mé mo mhéar i mo phóca agus tharraing mé amach é. Bhí sí ag piocadh duilliúir de na bacáin bhána agus á gcur i bhfostó i mo ghruaig, idir shúgradh agus dáiríre, ach i bhfad ní ba deise den dáiríre. Ní fhaca sí dada i mo láimh. Ach an dá luas agus bhí greim ar an fháinne agamsa mhothaigh mé mar bheadh sreangacha feistithe dom agus iad do mo tharraingt trasna an locha suas go Droim an Uaignis.

D'éirigh mé i mo sheasamh agus isteach díreach go bruach an uisce liom. Nuair a chuir mé mo dhá láimh amach romham do mo cheapadh féin thit an fáinne isteach sa loch.

Níorbh ionadh uafás a theacht ar Mhéabha nuair a chonaic sí mé ag amharc isteach san uisce mar bheadh duine á bháthadh fúm. Ach bhí mise ag amharc ar dhá eascann a scar ó chéile agus a d'imigh i bhfad ó chéile, ag lúbarnaigh fá linnte agus fá chora cúil an locha.

" Cá hair a bhfuil tú ag amharc? " arsa Méabha, ag gáire liom.

" Dhá eascann a scar ó chéile agus a d'imigh soir agus siar."

" Cá bhfuil? " Mhothaigh mé a lámh leagtha ar mo sciathán. Ach bhí siad as amharc.

D'amharc muid ár mbeirt isteach san uisce, agus bhuail tallann meabhraithe muid ar aon. I gceann tamaill arsa mise:

" A Mhéabha, ar ndóigh ní scarfaidh mise agus tusa mar rinne an dá eascann sin? "

" Nach iontach thú? " ar sise. Ansin: " Maise, ní scarfaidh, ach rachaimid mar seo."

Tháinig muid aníos ó bhruach an locha agus an spéir dearg le nóin bheag agus deireadh an lae.

DÚIL GAN FHÁIL

Bhí an bealach garbh trasna ghualainn Sliabh Mis, agus bhí sé ní ba trioma ó tharla go raibh teas an mheán lae ann. Bhí clog teampaill thall sa ghleann ag seinm fháilte an aingil. Cér chórtha don dara glór a bheith le cluinstin in áit a raibh Pádraig ag buachailleacht aon chéad déag bliain roimhe sin? Bhog an áit chéimiúil chéanna meanma an tsagairt, ach bhí rud eile ar a intinn a bhog ní ba mhó ná sin é. Bhí sé ar a bhealach ó Ard Mhacha go Gleann Arma, agus ba é Seán Ó Néill a bhain an siúl as. Agus ba é Seán Mór an Díomais a bhí leis suas taobh an tsléibhe, d'ainneoin Phádraig. Bratacha agus tuanna i dTír Eoghain; béiceach buabhall thart ar Fhuath na nGall; loingeas Spáinneach i gcuanta; gallóglaigh ag dul go Londain; teampall Ard Mhacha ina luaith, in éiric an mholta a thug an tArd-easpag do bhanríon na Sasana—Cúige Uladh beo mar a bhíos an seol nuair a thig an ghaoth air, nó an mhuir nuair a mhusclas an tonn, nó an chual nuair a théid an lasóg inti! Glór, cumhacht, comhrac, agus caint a bhí mar bheadh fíon ann, agus ina dhiaidh: oíche chal-lánach thall ansin a chois cladach Aontroma, foclaíocht, sceana, agus rinneadh feall ar Éirinn. Thug siad a cheann go Baile Átha Cliath, chuir siad a cholann thall ansin i nGleann Arma. Níor bheo do Ghael a bheo in Ulaidh ó shin. "Ó, sé mo ghéarghoin tinnis gur theastaigh uainn Gaeil Thír Eoghain!"

Cad é an mana a bheadh acu thall ansin i nGleann Arma fána choinne? Cinnte, ba bheag an fiúntas dóibh colann Sheáin Uí Néill a ligean leis go " hArd Mhacha ba mhór cádhas ". Ní dhéanfadh a ord féin doicheall roimhe, ar mhaithe le Naomh Proinsias, ar mhaithe le fáilte an aingil a bhí ag ceatal go caoin fán tsliabh a chonaic Pádraig ina ghasúr?

Bhí an tráthnóna ann nuair a tháinig sagart go geata Mhainistir Naomh Prionsias i nGleann Arma. Bhí abar ar a chuid osán agus deannach ar a ghrua. Bhí géarbhach na farraige ag síobadh a aibíde agus ag cur cuma dhearóil air. Lig fear de na bráithre isteach é agus chuir béile ina láthair. Níor ith sé mórán, agus dúirt sé gur mhaith leis an t-ab a fheiceáil.

Níorbh fhada go gcuala sé siosarnach éadaigh agus tháinig an t-ab isteach. Sheasaigh an dá shagart os coinne a chéile seal beag agus, má sheasaigh, b'éagosúil an dís. Bhí fear Ard Mhacha beag, éadrom, tanaí i ngnúis, agus súile aige a bhí fonnmhar agus lán aislingí arda. Bhí fear Aontroma mór, toirteach, agus dreach dáigh dolba air, agus rosc dubh tintrí aige a raibh grá chumhacht an tsaoil ann. Bhí croich chéasta ar an bhalla ar a gcúl, go glinn scáfar agus bhí an seomra uilig fuar, tárnochta, mar is gnáth le seomraí mainistreach. Ach bhí an bheirt acusan te beo, agus gan iad ag cur le cibé a bhí ina dtimpeall.

Bheannaigh an t-ab dó, agus bhí sé chomh forbháilteach agus ba mhian leat, ach nach raibh an dáimh ag teacht dó ach mar a bheadh culaith éadaigh air a dhéanfaí do dhuine eile. Cad é is fiú trácht ar an chéad dá fhocal comhrá a rinne siad, ar na heaglaisigh a luaigh siad, agus ar na gnóthaí eaglasta a raibh siad ag trácht orthu? D'fhéadfadh dhá shagart ar bith an comhrá sin a dhéanamh. Bhí siad ag caint ag an tine go dtí go gcreidfeá, dá mbeifeá ag éisteacht leo, go raibh ab

Ghleann Arma lách, dáimhiúil ó dhúchas. Agus ansin thost siad, mar thuigfeadh fear Aontroma nach le caitheamh aimsire a tháinig fear Ard Mhacha chuige.

D'amharc sagart Ard Mhacha amach ar an fhuinneog. Bhí dos de chrann amuigh agus duilliúr dlúth air, agus scáile fada an tráthnóna ag a bhun. Bhí éan beag éasca meadhrach ina sheasamh ar chraobh. Ba é a leithéid de radharc a chonaic an manach fada ó shin nuair a thóg sé a cheann agus bheir áilleacht an tsaoil seo air, agus rinne sé dán.

Ach bhí a athrach ar intinn an tsagairt seo, agus ní mó ná go dtug sé faoi deara an tonn agus an t-éan. D'amharc sé in airde ar mhullach an tseomra, agus síos ar an urlár ansin, agus labhair sé :

" Bhí muid ag caint ar an reilig."

Bhí, deich nóiméad roimhe sin : dúirt an t-ab go raibh an Sagart Mac Somhairle thíos ag cur maise ar na huaigheanna, agus sin a raibh de. Chlis sé go hiontach nuair a chuala sé an chaint seo, agus d'fhan sé le tuilleadh. Nuair a labhair sagart Ard Mhacha arís, dar leis féin gur lom a labhair sé, agus ní thiocfadh leis athrach balach a chur ar an chaint.

" Tá Seán Ó Néill curtha ansin, agus ba mhaith liom a cholann a thabhairt go hArd Mhacha."

Tháinig néal coscrach ar shagart Aontroma. Tháinig éad agus fuath agus díoltas tríd a dhá shúil, go dtí go ndéanfadh an té atífeadh é dearmad den tseomra ghlan ghintleach, agus den tom agus den éan. D'éirigh sé ina sheasamh.

" Tá, agus beidh. Más sin ábhar d'aistir, tá do shiúl in aisce agat."

D'fhéach sagart Ard Mhacha lena mhealladh. D'iarr sé an cholann air ar mhaithe leis an mhaithiúnas, ar mhaithe le grá gaolta, ar mhaithe le hÉirinn.

“ An ndearna tú dearmad ar lá dubh Ghleann Seisce ? ” arsa an tAb leis. “ Ba dona an chomaoin a d’fhág Seán Ó Néill orainne an lá sin. An ndearna tú dearmad go bhfuil cnámha Mhic Dhónaill ina luí i dTír Eoghain, agus sibhse ag siúl orthu? Agus, a fhad agus bheas, beimidne ag dramhaltaigh ar bhur Seán Mór Ó Néill.”

Agus bhuail sé a shál ar an urlár.

Ansin d’éirigh sagart Ard Mhacha, agus crith air le fearg.

“ Rinne mé dearmad ar Shéamas Mac Dónaill,” ar seisean. “ Ach más le hAontroim Mac Dónaill is le hÉirinn Ó Néill. Agus cáinfidh Clanna Gael thú as do chaint anocht, nuair nach mbíonn cloch dhúshraithe do thí le fáil. Níor ghéill tú do thír, níor ghéill tú do chreideamh. Ní mholfadh an té a thug an creideamh go hÉirinn thú anocht. Naomh Pádraig ina bhreitheamh orainn, murar mise atá ceart! Beannacht agat.”

Agus sheol sé amach ar an doras.

Bhí Sliabh Mis thiar le bun na spéire roimhe agus é ag siúl leis go míshásta ag tarraingt chun an bhaile. Agus nuair a bhí an chéad tallann feirge ag fuaradh, chuala sé clog mhainistir Ghleann Arma ag seinm fháilte an aingil ina dhiaidh. Agus mhachnaigh sé ar Phádraig, ar eagla nár chuir sé an fhírinne air. Agus níorbh fhada gur las a ghrua go sásta. Nó smaoinigh sé ar an lá a d’éirigh Pádraig tuirseach de na sailm agus de na soiscéil, agus thiontaigh sé ar na laochra :

A Oisín, is binn liom do ghlór,
Agus beannacht fós le hanam Fhinn;
Aithris dúinn cá mhéad fia
Do thit ar Shliabh na mBan Fionn.

Mar d'imeodh néal de chuallacht réaltóg, d'imigh an ghruaim dá anam, agus chonaic sé uilig i gcuideachta, uilig i síocháin le chéile iad: Fionn, agus Oisín, agus Pádraig, agus Seán Mór Ó Néill.

SÉAMAS MAC MURCHAIDH

SÉAMAS MAC MURCHAIDH

1. *An Beirneach Mór*

Bhí lá aonaigh ann i seanbhaile Chairlinne. Chruinnigh na toirteanna beaga dubha agus chuaigh siad i gceann a ngnaithe go díbheirgeach, idir Sliabh Fathaigh agus an cuan. Bhí margaí á ndéanamh agus margaí á seachaint. Bhí doirse thithe leanna plódaithe. Bhí súile na ndaoine ag amharc cibé cearn den tsráid a ba mhó ar théigh an fhuil agus ar éirigh caint beo fíochmharach. Agus Cuan Chairlinne chomh deas don bhaile agus go bhféadfaí a chogar a chluinstin an lá a ba chiúine sa bhliain, agus Sliabh Fathaigh crochta chomh díreach os a chionn agus go bhféadfadh duine a bheadh leathdhall é a thabhairt faoi deara ag smaoineamh.

Ach níl de thuiscint ag an chine daonna ar an domhan a bhfuil siad air ach a oiread le nead seangán. Sin an bharúil a fuair Peadar Ó Doirnín an file orthu; agus chuaigh sé síos a chois an chuain ar an uaigneas, ar chúl an tseanchaisleáin. Ní raibh aon duine ar a ghaobhair ansin ach seanbhacach a bhí ag fidiléireacht ag coirnéal. Ní raibh aon rud ar a amharc ar dhroim an chuain ach bád amháin a bhí ag tarraingt anall ó Rinn Mhic Giolla Ruaidh.

Ní tháinig Peadar go Cairlinn riamh gan mothú iontais agus filíochta a theacht air. Bhí lá geal samhraidh ann an lá seo, ach ba é an rud a raibh sé ag smaoineamh air an oíche a shiúil sé as Cairlinn go hÓ

Méith agus an saol ina gcodladh. Uaigneas fuar na gealaí ar an chuan, agus scáile leitheadach an chnoic an oíche sin, bhí siad ag siúl leis ó shin. Chuimhnigh sé ar an dóigh ar bhuail an eagla é fá a ndearna sé de pheacaí riamh, agus an dóigh ar baineadh an dúléim as nuair a chuala sé an callán a bhí ag sruthán uisce a bhí ag dul faoin bhealach mhór. D'imigh sin agus thosaigh sé a smaoineamh go raibh Cairlinn cosúil le áit a ndéanfadh a anam cónaí ann i ndiaidh a bháis. D'fhéadfaí duine suarach gan fhilíocht a chur, dar leis, i reilig a mbeadh cosa daoine ag siúl thart léi ó mhaidin go nóin. Nó d'fhéadfaí tuaitín a shíneadh i machaire nach mbeadh ag fóirstin ach do sheisreach. Ach idir an dá chaidreamh a ba duibheagánaí ar an domhan, idir sliabh mór dúrúnta agus muir mhór na síorchogarnaí, ba sin an áit ag file. Agus níor mhiste fána chorp, ach a anam a bheith fá chladach an iontais.

Ach chlis an file suas nuair a chuaigh an aisling an fad seo. Bhí an saol ag cur coiscrithe faoi, nuair a shíl sé go raibh an sonas aige. Agus dar leat nach raibh neach nó ní corrach ar a amharc nó ar a éisteacht, ach an sean-fhidiléir a bhí ag seinm idir é féin agus lucht an aonaigh.

Ach be leor sin. Bhí an fidiléir ag bualadh poirt a dtugtaí *Píosa na nDeich bPingin* air. D'éist Peadar go dtí gur chuala sé an fidiléir ag cur nótaí as port eile isteach i lár *Phíosa na nDeich bPingin*. Shín sé a cheann chun tosaigh ansin agus é mar bheadh fear a bheadh réidh le himeacht de rása nuair a gheobhadh sé an comhartha. Ar ball beag tharraing an fidiléir port eile air. D'éist Peadar go furchaidh.

Bhuail an fidiléir *Píosa na nDeich bPingin* arís, agus bhuail sé i gceart é. Shocair Peadar Ó Doirnín é féin ar an stól agus cuma air go raibh sé ní ba sásta ina intinn. Bhí bád Rinn Mhic Giolla Ruaidh chomh cóngarach don chladach agus gur chuala sé tormán na rámhaí sna leapacha iomartha.

Thit an aisling arís air. Bhí an áilleacht ina thimpeall agus tháinig an brón air mar bheadh aoibhneas an domhain ina shiocair leis. Ba í an fhilíocht smior an tsaoil ach, a Dhia, nárbh í a bhí seachantach? Bhí sé mar bheadh fear a leanfadh tine shionnach ar shliabh san oíche. Níor sin féin é, ach bhí sé mar fhear a mbeadh deamhan ar a láimh chlí a théadh idir é féin agus a mhian gach aon uair dá mbíodh sé in aice léi. Bhí an fhilíocht cóngarach dó; bhí bóthar na n-iontas faoina chois agus tobar na héigse ag dealramh taobh thall de. Ach bhí an saol i gcónaí ag teacht air agus ag tabhairt cúraim shuaraigh nó imní chloíte ina cheann. Smaoinigh sé ar an oíche roimhe sin, nuair a bhí sé ag tarraingt ar Chairlinn, trasna ghualainn Shliabh Fathaigh. Bhí droim mór gágach an chnoic idir é agus spéartha dothuisceanacha. Agus leis sin nocht an ghealach amach as tríd na néalta mar nochtfadh dea-mhéin i ngnúis carad. Agus tháinig ciall i dtoirt na néal, agus d'éirigh corp an tsléibhe soiléir dubh, agus rinne sé caidreamh leis. Bhí fir Éireann ag gluaiseacht tríd Bhearna Mhéibhe; bhí Tuatha Dé Danann sna spéartha ag breathnú ar iaróg na ndaoine saolta; agus bhí cliabhlach mhillteanach Dhonn Chuailgne anairde idir déithe agus laochra, agus ba léir dó a gharbhéadan uasal, agus adharc amháin a ba neartmhaire ná crann darach. Agus ansin bhain iall a bhróige truisle as, agus nuair a bhí sí ceangailte arís aige bhí na hiontais ar shiúl siar uaidh mar a d'imeodh maide le sruth.

Ba sin mar bhíodh i gcónaí. Nuair a bhí sé ní b'óige ní luaithe a níodh an saol cneá air ná leigheasadh an dóchas í. Ach de réir mar bhí na blianta ag dul thart bhí an dóchas ag imeacht. Ba ghairid go mbeadh sé ag rá: " Dá maireadh Dian Céacht, nach bhféadfadh mo chréacht a leigheas." Dán beag suarach amháin le bliain. A Thiarna, cad é a bhí sé a dhéanamh? Ní ar mhéad agus chuir sé nó bhain sé, ná a rinne sé taisce airgid nó óir. Chaill sé rud éigin, dar leis, agus ansin thosaigh sé a smaoineamh an raibh an bhua leis fada ó shin nuair a chaill sé an bhean agus fuair sé an dán a ba mhó dar chum sé riamh. Ní raibh sé baol ar a bheith cinnte. Ba mhaith leis dán ab fhearr ná é a chumadh anois. Ba mhó an saol ná an dán sin, ba mhire agus ba mheallacaí fuil chorrach Shíol Éabha ná " uaigneas aerach " agus " fuaim guth béilbhinn cuach is smaolach ", ba bhoirbe í ná mínfhilíocht ar bith a spreagfadh Úrchnoc Chéin Mhic Cáinte. Dán a bheadh chomh mór leis an tsaol. Smaoinigh Peadar go domhain agus go gruama, arbh fhéidir a dhéanamh. Ba trom gonta an croí a gheobhadh an bhua sin, nó ní ligeann an saol a rún gan a luach a bhaint amach.

Chuala sé daoine gan oideas agus gan intleacht ag rá cainte ab fhiliúnta ná aon chaint dar dhúirt sé riamh, agus iad i mbuaireamh fána mbeo nó ag caoineadh a mairbh. Ach ar leor sin d'fhile a bheith filiúnta mar bheadh duine tuatach ar bith nach raibh aon éifeacht ann ach gur rugadh é, agus gur chaill agus gur éag sé? Rugadh faoin chinniúint é ar dhual dó uaisleacht a bhaint as laetha tura an tsaoil. Nárbh é an scéal dona é má bhí sé féin fágtha ar an turach sular thuig sé cad é mar tharla sé? Bhí galar éigin air; bhí sé mar bheadh talamh nach bhfásfadh féar air; nó mar bheadh fidil gan téad nó trompa gan teanga. Agus ní raibh dul aige leigheas a fháil, cé go raibh a fhios aige gur lia gach duine ar a anam féin. Shíl sé go ndéanfadh an t-ól é, ach ní dhearna an t-ól ach a nochtadh dó go raibh sé ní ba mheasa ná a shamhail sé; ba mhó de chraos ná de mheisce é. Shíl sé go raibh leis nuair a bhuail sé isteach ina cheann é filíocht a dhéanamh fána easpa. Ach ní dheachaigh sé níos faide ná an chéad rann, an rann a d'inis fán easpa. Shíl sé go ndéanfadh an siúl é, agus ba é an siúl a ba mhó a thug cabhair dó. Ach níor leor leis an chabhair sin. Tig an galar seo ar intinní arda, gan fios gan fáth, agus b'fhéidir go dtiocfadh siad uaidh agus b'fhéidir nach dtiocfadh; agus dá ghiorracht dá maireann sé, is measa é ná an bás.

"Dá mbíodh a fhios agam cad é mo mhian," arsa Peadar Ó Doirnín, "d'éireoinn mar éiríos an fhaoileann gheal ón chuan agus rachainn ina haraicis."

Bhí bád Rinn Mhic Ghiolla Ruaidh fá fhad scairte don chladach an t-am seo. Chonaic sé í agus ní thug sé faoi deara í, leis an cheo a bhí ar a aigne. D'amharc sé ar spéir agus ar talamh, agus ní tháinig sé tríd dada ab fhearr a dhéanamh ná scairtigh ar bhean an tábhairne deoch leanna a thabhairt chuige. D'fhág cailín dubh modhmhar an meadar ar thábla bheag a bhí sa gharraí, agus thóg Peadar an soitheach agus d'ól sé braon agus thug iarraidh a chur in iúl dó féin gur thaitin sé leis a bheith ag cloí thart an anama le deoch na colla.

Leag sé a uilinn ar an tábla agus thug sé a thaobh leis an chuan. Bhí seanbhalla thall os a choinne agus eidheann air. Bhí éan beag amach agus isteach i gclúideanna an duilliúir agus cat dubh ag druidim leis go fealltach de réir orlach agus orlach. Choimhéad sé an teagmháil bheag shuarach seo. Ba bheag an rud éan cíocras a chur ar chat, nó cat éan a shlogadh. Bhí tréan cothaithe ar an chat mar a bhí sé, agus ní thabharfá iasacht do chluaise ar sheinm an éin. Ach ba ghalar an fhile go raibh a iúl ar rudaí gan tairbhe. Thomhais sé go beacht cá mhéad troigh agus orlach a bhí le dul ag an chat sula mbeadh sé fá fhad léime den éan. Choimhéad sé bogadach an éin go bhfeiceadh sé cén nóiméad a d'imeodh sé leis in airde sa spéir mar scaoilfeá lán béal gunna de chleití.

Tháinig scáile duine trasna ag a chosa sular mhothaigh sé é. Nuair a thóg sé a cheann labhair an fear leis:

" Mise Séamas Mac Murchaidh is deise atá in Éirinn."

Ní raibh iontas don fhear an mórtas sin a dhéanamh, nó ní cionn is é féin a rá, bhí sé ar fhear chomh breá agus a leag bonn ar féar. Fear mór a bhí chomh héasca agus chomh glan le cú, agus aoibh ar a ghnúis, agus uabhar mór fána shúil. Bhí a chulaith éadaigh thar a bheith galánta, agus bheifeá tamall maith ag amharc air sula dtabharfá faoi deara gurbh uaisle an ceann a bhí ar Pheadar Ó Doirnín ná air, agus má ba lú dealramh a bhí ann gur mhó an seanadh a bhí sa taitneamh a thug tú dó. Ach bhí an fear mór é féin tarraingteach. Ní luaithe a chonaic Peadar é ná d'imigh an t-achrann as a shúil.

" A Bheirnigh Mhóir, is tú nach bhfágfadh faill agam ceist a chur cé d'uaisle nó d'anuaisle an domhain thú, nuair a bhí an chaint ar shlí a ráite. Is gur shamhail mé nuair a chonaic mé do long ag tarraingt orm gur tú Cod Mac Rí na hIoruaidhe nó Mánus Bán ón taobh ó thuaidh ag teacht a thógáil cíos láimhe ar Éirinn."

" Níl mo chíos mór," arsa an fear eile, " cé gur shíolraigh mé ó uaisle. Ach cuirfidh mé bonn na dtrí bpingin déag," arsa seisean go mórtasach, " nár shamhail tú gur bealach na farraige a thiocfainn; nach iontaí leat an sneachta dearg ná é."

" Níorbh iontaí liom an sneachta dearg riamh ná thú, a Bheirnigh chroí," arsa Peadar Ó Doirnín. " Ach admhaím nach dtuigim cad é mar tháinig tú as an Rinn an mhaidin seo má bhí tú i gCrois Mhic Fhloinn aréir, mar a hinsíodh domsa."

" Hó, a Pheadair, a Pheadair an dóchais bhig, sin

scéal a bhfuil adhastar air. D'éirigh mé teacht an lae agus bhí mé le Seáinín Ó Néill as Crois Mhic Fhloinn go Sliabh gCuilinn, go dtí an áit a raibh Seoinín na gCeann agus an garda leis na toicithe a bhí ag dul chun aonaigh a chomóradh. B'éigean dom a dhul i bhfolach ansin. Bhí mé i mo sheasamh agus mo ghualainn le creig ag amharc síos orthu agus iad ag damhsa ar an ród lena gcuid beathach. Dar liom féin, dá mbíodh a fhios agaibh cé atá fá fhad urchair díobh! D'imigh siad leo fá dheireadh, agus bhí mé go díreach ag brath siúl liom ag tarraingt ar an aonach nuair atím an beathach óg uallach anuas chugam agus gan marcach ar bith air. Dá bhfaighinn crann na croiche de gheall air ní bheadh beo orm gan a cheapadh. Agus nuair a bhí sé ceaptha agam ní bheadh beo orm gan a mharcaíocht. Suas liom, agus bhí sé féin agus mise ag spairn le chéile nó go bhfuair mé é a cheansú agus go raibh sé chomh modhúil le huan caorach. Dar liom féin, is amhlaidh is sóúla a rachas mé go Cairlinn. Tá an garda míle nó dhó romham anois. D'imigh mé liom. Bhéarfainn mionna duit go bhfaca mé cúig nó sé de bhomaití ina dhiaidh sin fear idir mé is léas i bhfad taobh thiar díom, fear a raibh gunna aige. Níl a fhios agam cé a bhí ann, ach tá a shárfhios agam gur saighdiúir de chuid an gharda é agus gur leis an beathach, nó d'aithin mé ar an úim a bhí air gur beathach airm a bhí ann. Rinne mé é a mharcaíocht go dtí an Caoluisce, agus thug mé do bhuachaill le coinneáil ansin é. 'Mura raibh mé ar ais roimh cheathrú uaire,' arsa mise leis, 'lig a cheann leis, agus seo luach do shaothair chugat.' D'éirigh a dhá shúil mór, ach ní fhóireann sé do ghiolla a bheith fiosrach. Chuaigh mé isteach i dteach tábhairne Mhic Uí Anluain, agus amach ar an doras cúil agus síos go dtí an bád, agus trasna go Rinn Mhic Giolla Ruaidh. Agus anall ansin go Cairlinn, agus a chead ag an ghiolla agus ag an ghearrán a shocrú mar is mian leo. Nach sin scéal maith? "

" Is tú atá millte ag do chinniúint," arsa Peadar Ó Doirnín, agus cineál d'éad air, " nuair nach dtiocfadh leat a theacht chun an aonaigh gan a leithéid de mharcaíocht a bheith i ndán duit. An mbeidh deoch leanna agat? "

" Cá ndeachaigh faobhar d'intinne agus deis do labhartha, a Pheadair Uí Dhoirnín," arsa Mac Murchaidh, " nuair atá tú ag caint ar leann? Fíon, a dhuine chléibh, fíon dearg na Fraince is dual do thart a tháinig chomh gaisciúil agus a tháinig an tart seo. Tabhraigí fíon chugam," ar seisean, mar bheadh sé ag caint leis an tsaol mór, " ar eagla go dtriomódh áthas mo chroí mé."

Bhí an fidiléir ag an choirneál ag seinm leis. " Dhéanfainn cúrsa damhsa," arsa Mac Murchaidh, " ach gurb é an eagla go rachadh an talamh ar crith agus go ndoirtfinn do ghloine."

" Sea, nó b'fhéidir go leagfá an ghrian le do cheann," arsa Peadar Ó Doirnín; " agus go bhfágfaí muid ' i ndorchadas oíche is lae,' mar a dúirt Mac Cuarta."

Tháinig gruaim iontach ar Mhac Murchaidh. " Ná tabhair i mo cheann é," ar seisean, mar bheadh sé gonta go smior. " Is réidh agaibh é, sibhse a dtig an fhilíocht libh. Ach mise bocht! "

Ní fhaca tú a bhrón ar aon fhear riamh.

" B'fhiliúnta liom riamh do ghníomh ná mo dhán," arsa Peadar Ó Doirnín. " Cad é atá ionainn ach créatúir a fágadh le port, mar fhilí? Muid ag gol san oíche, ag éileamh gur ceileadh éifeacht an tsaoil orainn."

" Éifeacht an tsaoil! " arsa an Beirneach Mór. " Ceileadh sin uilig orainn. Ach tá bua éigin san fhilíocht nach dtugann contúirt nó fíon nó mná duit. Bhí mise lá agus d'fhéadfainn a bheith i m'fhile. Ach bíodh aige."

Thosaigh sé a mheabhrú. Fá dheireadh thóg sé a cheann agus chnag sé an tábla.

" A gheall ar Dhia, a Pheadair Uí Dhoirnín," ar seisean, " agus abair rud éigin a chuirfeas as mo cheann é."

Ach ní thug Peadar freagra ar bith air.

" An gcluin tú mé, a Pheadair? " ar seisean.

" Éist an fidiléir," arsa Peadar. " Tá contúirt éigin orainn."

Leis sin thóg an fidiléir an bogha den fhidil agus rinne sé comhartha dóibh. Léim Peadar Ó Doirnín ina sheasamh agus chuaigh sé anonn go raibh sé fá fhad cogair den choirnéal. Nuair a rinne sé féin agus an bacach trí fhocal cainte d'fhill sé.

" Tá cuid saighdiúirí Sheoinín ar dhá cheann an aonaigh agus tá siad ag cuartú an bhaile; agus níl i mbéal gach aon duine ach go bhfuil an Beirneach Mór i lár an aontaigh agus capall goidte leis."

" Teach Eoghain Mhic Ardghail é," arsa Séamas go tapaidh.

" Teach Eoghain Mhic Ardghail agus Corr an Chait ina dhiaidh," arsa Peadar Ó Doirnín.

Ní raibh faill ní ba mhó a rá. Chuaigh siad siar an cladach go dtáinig siad go cúl tí a bhí scoite amach ón bhaile. Bhí garraí ar a chúl, agus ardán idir iad féin agus an garraí. B'éigean dóibh iad féin a chaitheamh ar an talamh i gcúl an ardáin, nó chonaic siad go soiléir cuid hataí agus baignéidí na saighdiúirí ar an tsráid. Ba léir dóibh lámh fir agus dhá mhéar scoite di. Luigh siad ansin agus claí an gharraí fá dhá shlat díobh. Ba mhairg a raibh sé chomh hard agus a bhí sé.

Fá dheireadh shnámh Séamas anonn go bun an chlaí agus thosaigh sé ag iarraidh a leagan. Doiligh go leor a bhí sé, nó ní thiocfadh leis éirí ina sheasamh, ach fuair siad an bhearna a dhéanamh fá dheireadh agus chuaigh siad go doras cúil Eoghain Mhic Ardghail. D'éirigh Eoghan ina sheasamh.

"Glacaigí go suaimhneach é, a fheara," ar seisean. "Tá sibh i gceart anseo."

"Á, ní bheimid ag tarraingt a gcontúirte ort, a Eoghain," arsa Peadar. "Táimid ag tarraingt ar an chnoc."

D'fhoscail Eoghan an doras tosaigh. "Más mian libh fanacht, ná coigligí mise is mo chró," ar seisean. "Ach má tá sibh ag imeacht tá tréan foscaidh agaibh. Tarraingigí ar an chrann chaorthainn úd thiar. Sin an áit ar fusa a dhul trasna an bhealaigh mhóir. Cumhdach Dé oraibh!"

Bhí scioból agus dos crann agus ardán fraoich á bhfolach ar an bhaile mór go ndeachaigh siad go dtí crann an chaorthainn. Bhí lúb sa bhealach mhór ansin agus b'fhurast dóibh a dhul trasna. Bhí an chuid a ba chrochta den chnoc ar an taobh eile, agus dá mba mhian leo scáth a bheith acu bhí acu le coinneáil ar fiar i bhfad siar. Bhí siad idir dhá thine Bhealtaine idir an bealach mór agus an sliabh.

"Coinnímis suas tuilleadh," arsa Mac Murchaidh.

"Tabhair do d'aire," arsa Peadar Ó Doirnín, "tífí ón tSliabh Bán thuas ansin thú."

Chuaigh siad céad slat eile.

"Suas linn," arsa Séamas, "táimid a fhad rompu anois agus gur cuma má tí siad muid."

Níorbh fhíor dó. Bhí ceathrú míle siúlta acu, ach ní hionann ceathrú míle ar mala agus ar machaire.

Nuair a chuaigh siad suas ar an ard, dar leo nach raibh siad céad slat ó na saighdiúirí. Chonacthas i mbomainte iad. Chuala siad an scairteach. "Sin é! Tá siad beirt ann!" Scaoileadh urchair leo, agus chonaic siad na bladhairí ag léimnigh as béal na ngunnaí, cé nach raibh a fhios acu cár thit na piléir.

" Dia agus lúth ár gcos linn ! " arsa Mac Murchaidh. " Chuaigh muid fá pholl cnaipe de."

" Anois, a chailleach ! " arsa Peadar Ó Doirnín, " tá dúil agam gur fearr ár gcuid cos ná ár gciall."

Agus bhí sin orthu, scoith na gcos. Shílfeá gur fia an Beirneach Mór ag dul suas an mhala. Agus ní raibh Peadar Ó Doirnín coiscéim ina dhiaidh. Bhí tréan eolais ar shiúl cnoc acu, agus níorbh í an chéad uair dóibh ag seilg í. Choinnigh siad tuairim ar fhichid slat ó chéile. B'éigean don scata a bhí ina ndiaidh scabadh amach go leitheadach ar eagla go n-éalódh siad de thaobh éigin orthu. Stad lucht an aonaigh a dhíol agus a cheannach agus choimhéad siad an dá thoirt a bhí ag oibriú suas taobh an chnoic, mar bheadh cuileoga ar ghualainn seanbháid a mbeadh a béal fúithi.

Chonacthas iad ag imeacht suas de réir a chéile. Bhaintí tuisle as fear acu corruair, agus bhaintí foscladh as béal na ndaoine ag amharc orthu. Bhí sé ar a chosa ar ais i bhfaiteadh na súl. Chuaigh siad as amharc dhó nó trí de chuarta agus nocht siad arís. Fá dheireadh chonacthas iad ina dtoireanna dubha ar dhéad de chuid an chnoic os ceann Chorr an Chait.

Bhí siad chóir a bheith leathmhíle roimh na saighdiúirí an t-am seo. Bhí na saighdiúirí ag coinneáil siar. Dá bhfaigheadh siad a gcoinneáil ar Shliabh Fathaigh, bhí a gcuid marcach ar an bhealach mhór a bhí ag dul thart an cladach, lena gceapadh ar an taobh thoir.

Chuaigh an bheirt de léim thar ghualainn an chnoic agus sheasaigh siad. Bhí a gcuid cliabhlach ag éirí agus ag titim mar bheadh tonna le gaoth mhór ann, agus ní thiocfadh le ceachtar acu dhá fhocal a rá gan uaill a bheith ar a anáil.

" Bomainte amháin!" arsa an Beirneach Mór. " Bomainte, dá dtugainn mo mhuineál air!"

Chaith Peadar Ó Doirnín é féin ar shlat chúl a chinn.

" Siar ó dheas anois go dtí an cnoc úd," arsa an Beirneach Mór. " Tá an mhala linn. Má thig siad ar fiar orainn, beimid taobh thiar díobh, agus má choinníonn siad siar, scoithfimid iad."

" Níl a fhios agam ar bheir an cat ar an éan!" arsa Peadar Ó Doirnín.

" Tine lom nár thara orm, má tá a fhios agam dada fá do chat," arsa an Beirneach Mór, " agus is lúide is miste liom. Chugainn, a chladhaire."

" Tá an anáil liom, ó fuair mé faill smaoineamh ar an éan," arsa Peadar. " Inseoidh mé an scéal arís duit. Chugainn, a mhic."

Síos an mhala leo agus an fraoch briosc ag gliúrascnaigh faoina gcosa, agus na túrtóga caoráin ag umhlú fúthu. Bhí cearca fraoich ag éirí rompu. Bhí sruthán beag meadhrach ag drandánacht leis taobh thiar díobh. Áit shoineanta an sliabh lá samhraidh. Ach bhí an naimhdeas taobh thíos díobh, bhí, thart orthu, ag teacht chomh cóngarach dóibh le cogar. Bhí sé istigh ina n-intinn féin, nó níor troideadh aon chath ar an domhan riamh nach raibh ina chath idir dhá thaobh d'intinn an duine le cois a bheith ina chath idir chumhachtaí a ba soiléire a bhí taobh amuigh de sin. Dá mbuadh an tuirse agus an t-éadóchas bheadh an lá le Seon na gCeann agus lena chuid saighdiúirí.

Bhí dhá dtrian an ghleanna curtha díobh acu nuair a thug siad spléachadh siar ina ndiaidh agus chonaic siad toirteanna ar an droim ar a gcúl. Bhí na saighdiúirí ag teacht ar fiar orthu, ach nuair a chonaic siad iad, choinnigh siad siar. Bhí cuid mhór talaimh caillte acu; bhí siad scoite trí cheathrú míle.

" Damnú orthu, rinne siad seilg thútach," arsa an Beirneach Mór. " Táimidne ag dul díreach agus iadsan ag cur cor bealaigh orthu féin."

" Ach tá eagla orm nach bhfuil ann ach tús lae go fóill acu," arsa Peadar Ó Doirnín. " Má théimidne díreach, rachaimid go Baile Mhic Buain nó amach san fharraige, cibé is rogha linn."

" Déanaimis an cnoc sin thall ar scor ar bith, in ainm Dé," arsa Mac Murchaidh.

Nuair a bhí siad thall ar an chnoc bhí na saighdiúirí scoite míle acu. Ach bhí siad in achrann intinne.

" Dá dtigeadh linn an cnoc os ceann an Chaoluisce a bhaint amach," arsa Mac Murchaidh, " agus cúl a gcinn a thabhairt linn, bheadh linn."

" Ba dóiche iad a chastáil díreach san aghaidh orainn," arsa Peadar Ó Doirnín. " Fuist go fóill, tá siad ag seasamh."

Séideadh fideog, agus chruinnigh na saighdiúirí agus chuaigh siad i gcomhairle le chéile. Bhí an tóir agus an tseilg ina seasamh agus bhíothas ag troid teagmhála in intinn an dá chuid.

" Anois báire na fola !" arsa an Beirneach Mór.

" Soir ?" arsa Peadar Ó Doirnín.

" Soir," arsa an Beirneach. " Sheacht mh'anam thú ! Beidh siad ag dúil le muid a dhul siar. Ná nocht a oiread agus duilleog do hata."

Ní raibh sé mór a raibh de scáth acu ar an bhealach soir. B'éigean dóibh rith leathchrom, agus go minic a dhul ar a gceithre boinn agus corruair snámh ar a mbolg. Bhain an chromadach an t-uabhar as a n-intinn. Fuair siad aithne ar anró an tsléibhe. An fraoch a bhí bog faoina gcosa, bhain sé an craiceann de na lámha acu; na loicheáin a thiocfadh leo a thabhairt i gcoiscéim, ba mhinic ab éigean dóibh luí iontu. Mhothaigh siad cré agus creagacha an domhain go cadránta ar a gcuid cliabhlach. Agus nuair a bhí a gceann íseal bhí bun na spéire míle uair chomh fada uathu. D'éirigh slata ina ródaí agus ródaí ina mílte. Leithead millteanach an tsléibhe a ba chruaidhe a bhí ag cur orthu. Stopadh fear acu agus d'amharcadh sé thart, agus níodh an fear eile aithris air; agus mura n-imíodh fear éigin acu arís ní bhogfadh an bheirt i gcuideachta dá mbíodh siad seachtain ann. Ní raibh siad cinnte cá raibh an namhaid ach a oiread. Ní raibh a fhios acu cé acu a bhí siad á seachaint nó nach raibh.

Fá dheireadh tharla dos crann orthu, agus d'éirigh siad ina seasamh go lúcháireach. Chuaigh siad go himeall na coille agus chuir siad a nguaillí le crainn agus bhreathnaigh siad siar uathu.

" An bhfeiceann tú iad?" arsa an Beirneach Mór.

" Ní fheicim," arsa Peadar Ó Doirnín.

" An bhfeiceann tú thiar úd idir an chreig mhór liath agus tom na haitinní?"

" Tím, tím; sin fear acu."

" Agus siúd beirt eile. Níl siad ag bogadh. Cuirfidh mé geall gur ag coimhéad siar atá siad, go síleann siad go bhfuil siad taobh thoir dínn. Fan go fóill."

Chuaigh sé de léim i gcrann agus chuaigh suas go dtí a bharr. Ar ball beag tháinig sé anuas ar ais.

" Níl beo nó baistíoch ar m'amharc ach an triúr. Ach chonacthas dom go bhfaca mé toirteanna i bhfad taobh thiar díobh, ach níl mé cinnte."

" Féadaimid siúl linn," arsa Peadar Ó Doirnín. " De réir mar atím, beidh muidne ag teacht thart orthu, agus iadsan ag teacht thart orainne go ceann fada go leor. B'fhéidir go mbeimis ag déanamh thart-an-bhróg go ceann seachtaine."

" Ní bheidh," arsa an Beirneach Mór. " Is gairid go n-imí mise orthu."

" Is tú a déarfadh é, a mhic," arsa Peadar Ó Doirnín.

Shiúil siad díreach ó thuaidh go ceann leathuaire, go dtí gur nocht an cuan chucu idir dhá mhullóg shléibhe. Ansin chor siad siar. Bhí a gcuid scáilí ag éirí fada gobach de réir mar a bhí grian an tráthnóna ag síothlú siar. Bhí fionnuacht ag teacht fán tsliabh, agus séideáin éadroma ag muscailt mar bheadh neachanna de chuid na hoíche ann.

Shiúil siad leathuair eile. Bhí an Beirneach Mór ag éirí chomh móruchtúil agus go sílfeá gur mheas sé go raibh deireadh leis an chontúirt. Chuir sé suas drantán ceoil cupla uair, ach nár lean sé i bhfad de. Leis sin beiridh Peadar Ó Doirnín greim sciatháin air.

" An bhfeiceann tú anois iad?" arsa seisean.

" Cá bhfuil? Tá, mh'anam! Fan anois go fóill. Tá siad ag tarraingt soir."

" Tá siad ag tarraingt, dar leat, ar dhos na gcrann a d'fhág muid tá uair ó shin," arsa Peadar Ó Doirnín. " Ní raibh iontas dom a rá gur thart-an-bhróg a bhí ann."

" Fan anois go ndéanaimid machnamh ar a ngnaithe," arsa an Beirneach Mór, agus chaith sé é féin ar a ucht ar an mala agus choimhéad sé iad.

" Shíl siad ó thús gur siar a rachaimis. Ach nuair a chuaigh siad giota siar, bhuail sé isteach ina gceann iad gur soir a chuaigh muid. Smaoinigh siad go ndearna muid go glic é. Anois nuair a smaoiníos do namhaid gur imir tú cleas air, smaoiníonn sé ar an dara bomainte gur dó is dual an cluiche a chur ort i ndeireadh ama. Tá sé mar bheadh cearrbhach ag dúil lena chúiteamh. Rachaidh siad soir díreach go dos na gcrann sin, agus má fhanann muidne anseo, beidh siad anoir a fhad linn sula dté sé ó sholas. Ach beidh le féacháil! Siúil leat."

" Tá ionsaí úr fút anois," arsa Peadar Ó Doirnín.

" Ná cluineadh aon duine trácht ar do mhargadh an lá roimh an aonach," arsa an Beirneach Mór. " Nach thiar anseo atá an seanteampall?"

" Sea, siúd thall é."

" Rachaimid an fad sin."

Chuaigh siad siar go dtí seanbhallóg a bhí ina seasamh ar chuisleán ghlas i lár an fhraoich. Shiúil an Beirneach Mór isteach.

" Dá dtéadh againn a oiread cipíní adhmaid a fháil—", arsa seisean, ag smúracht thart.

" Cad é faoi Dhia do ghnaithe leo?" arsa Mac Uí Dhoirnín.

" Go bhfadaimid tine!" arsa an Beirneach Mór.

" Tine?" arsa Peadar Ó Doirnín. " Ar chaill tú do chúig céadfaí?"

" Níor chaill nó aon cheann acu. Cruinnigh na cipíní, a Pheadair chroí, agus ná bí ag cognadh nó ag ceastúireacht, má tá meas agat ar Shéamas Mac Murchaidh."

" Níl gar a bheith leat," arsa Peadar Ó Doirnín, agus chruinnigh siad ualach mór connaidh. Thug an Beirneach Mór tine dó. " Anois," ar seisean, " 'dom iasacht do hata."

" Cha dtugaim ná a shaothar orm," arsa Peadar Ó Doirnín. " Tá mé fá gheasa droma draíochta gan amadán a dhéanamh díom féin trí huaire in aon lá amháin ar bith ar do chomhairle. Caithfidh tú a theacht gan mo hata-sa."

" Maise, tá mo cheann féin rómhaith le cur amú," arsa an Beirneach Mór. " Ach is cuma, ní bheidh mise i bhfad gan hata. ' Má tá aon chos ar an domhan chláir, gheobhaidh mise arís mo dhá chois '."

Bhain sé de a hata agus chaith sé ar an urlár é. " Siúil leat anois," ar seisean.

" Tuigim anois!" arsa Peadar Ó Doirnín. " Agus a Bheirnigh Mhóir, rinne tú an lá seo filiúnta dom, agus b'fhéidir lá is faide anonn ná inniu. Chuartaigh siad thiar agus ní bhfuair siad muid. Chuaigh siad i gcomhairle ansin agus mheas siad gur imir muid cleas orthu. Lean siad an cleas, agus ach gurb é go raibh cleas eile againn bhéarfadh siad orainn. Anois tarraingeoidh siad ar an tine sin. Tífidh fear acu an hata, agus is é Dia a chuir chuige é. Déarfaidh seisean cinnte gur leatsa é. Beidh fear eile nach mbíonn sásta an bhua a ligean leis, agus déarfaidh seisean nach leat. Rachaidh cuid ar gach aon taobh, agus tosóidh an chaibidil. Béarfaidh an ceannfort ar an hata. Ní hata é a chaithfeadh duine ar bith uaidh. Amharcfaidh sé ar an tine. Ní tine í a d'fhágfadh fear ar bith gan fáth. Fanóidh sé tamall ar scor ar bith ag dúil go bhfillfidh tú. Suífidh siad ansin, an áit a mbíodh manaigh nuair a bhí Éire ina hÉirinn. Beidh a scáilí ar na ballaí, agus iad ina dtoirteanna mar bheadh anbheathaigh ann. Agus gan idir iad agus spéir Dé ach daille a gcuid anam féin. B'fhéidir go mbeadh siad ansin go mbeadh sé domhain san oíche. Tá Éire mar bheadh an bhallóg sin, agus gan de chumhdach uirthi ach scáth domhain na síoraíochta. Agus tá na Gaill ina suí inti, agus tá siad meallta, nó ní bhfaighidh siad a n-iarraidh."

" Ní thig liomsa focal balach a chur ar an chaint sin," arsa an Beirneach Mór go brónach, agus shiúil siad leo siar an sliabh.

Chuaigh an ghrian síos ar chúl na n-ard a bhí idir iad féin agus bun na spéire. Lagaigh soiléireacht an tsléibhe. D'imigh teas an lae agus thosaigh séideáin a theacht mar bheadh siad ag siúl go formhothaithe agus ag déanamh a gcaidrimh le cogarnach. Thosaigh an dorchadas a theacht mar bheadh cith fearthana ag titim isteach i bpoll fholamh. Líonfadh sé an domhan i gceann leathuaire. Chuirfeadh sé scáth ar achrann an domhain. Chuirfeadh sé dallóg ar an urchóid a bhíos ag síorleanúint an chine daonna. D'éirigh na fir ní ba suaimhní ina n-intinn. Chuaigh siad siar bearnas agus isteach i ngleann a raibh asnacha den gharbhchreig nochta ann, agus sruthán ag titim thar easa agus ag búirfigh go duibheagánach. Bhí teach geal cheann tuí ina shuí leis féin, slogtha san uaigneas, agus tharraing siad air. D'éirigh madadh ina n-airicis, agus sula ndearna sé an chéad ghnúsachtach d'aithin sé iad, agus shiúil sé isteach rompu go suaimhneach mar bheadh sé á ngiollacht chun an tí. Nuair a chuaigh siad isteach b'éigean dóibh comhrá a dhéanamh, agus tuirse na seilge ina gcnámha agus tuirse na n-imeacht ina n-intinn. Cuireadh chun bia iad, agus shuigh siad fán tine go ham luí agus fear an tí ag insint a shaoil féin dóibh, nó ag fanacht go bhfaigheadh sé seanchas uathu a shásódh an bharúil a bhí aige den dóigh a raibh siadsan ag caitheamh a saoil.

"Buíochas do Dhia ar son an tsuaimhnis!" arsa Peadar Ó Doirnín, nuair a shín sé é féin ar an leaba. Ba é suaimhneas a chuideachta féin a bhí sé a altú. Bhí sé ag dúil go dtuigfeadh Séamas Mac Murchaidh é. Ach bhí an Beirneach Mór ina chnap codlata. Bhí an bhua sin aige, an dea-chodladh, nach bhfaigheann aon duine ach an té nach mbuaireann an saol.

Idir maidin agus meán lae fuair Peadar Ó Doirnín clúid fhoscaíoch ar aghaidh na gréine ar bhruach easa faoin teach. Bhí an t-uisce ag titim ina dhlaoithe fada glasa, agus boiseoga cúir ag scaipeadh ar uachtar an phoill ag bun an easa. Bhí glór buan toll ag an tuile, glór a chuirfeadh daoi a chodladh agus a chuirfeadh saoi a mheabhrú. B'aoibhinn le Peadar eachtraí an lae roimhe sin a chur i ndiaidh a chéile, agus iad a bhreathnú go domhain, agus an bhrí go hiomlán a bhaint astu, mar bheadh fear a bheadh ag déanamh fíona agus a d'fháiscfeadh an deoir dheireanach as an chaor. Tháinig tormán na rámhaí chuige agus bhí sé cian-iontach, mar thiocfadh sé as fíorghlinnte an aeir. Bhí an t-aonach dubh dlúth craosach mar bheadh scata préachán ar stuca. Mhothaigh sé an ghaoth ar a éadan, agus chonaic sé cnoic agus creagacha siar uaidh i gclapsholas na hintinne. Gan fiú gas fraoich nach bhfaca sé in airde idir é féin agus bun na spéire, agus é mór garbh mar bheadh crann ann. Agus bhí an Beirneach Mór istigh ina aigne—bhí, ní ba chóngaraí dó ná ba mhian leis fear ar bith a bheith. Bhí sé ag smaoineamh barraíocht air, agus bhí sé mar bheadh fear a bheadh ag déanamh craois agus nár mhaith leis a bheith chomh leamh agus a bhí sé.

Níorbh fhada go bhfaca sé chuige anuas bruach na habhann é. Ba bhreá an chuma a bhí air, dar leis. Ba bhreátha é ná bean ar bith. Bhí deis an tsaoil aige.

Sheasaigh an Beirneach Mór fá dhá choiscéim de. Bhí craobhóg choill ina láimh aige agus é ag bualadh a bhuataisí léi.

" A Bheirnigh Mhóir," arsa Peadar Ó Doirnín, " cad é mar tá an saol?"

" Is é an lán béil de bheannú é," arsa an Beirneach Mór. Bhí sé i dtólamh ag iarraidh a bheith dea-chainteach i láthair an fhile.

" An raibh tú ag ordú dom a rá go raibh maidin mhaith ann?" arsa Peadar.

" Is maith a dúirt tú sin," arsa Mac Murchaidh, agus tháinig meabhrú fána shúil: " ní bheadh gnaithe leis. Ach i dtaca leis an tsaol de," ar seisean go hiontach dáiríre, " is iontach an scéal é gur nuair atá a sháith le hithe agus le hól ag fear, agus é i ndiaidh an oíche a chodladh i leaba sheascair, gurb é sin an t-am is mó a mbeireann imní an tsaoil air."

" Imní an tsaoil!" arsa Peadar. " Níor shamhail mé, a Bheirnigh chroí, go raibh sí féin agus tusa an taobh amháin den tír."

" Maise nach trua mé leat, agus leis an tsaol mhór?" arsa Mac Murchaidh, agus glór an chaointe ina cheann. " Síleann sibh uilig nach cóir domsa a oiread de dheacair a bheith orm le huan óg gan scoitheadh. I ndiaidh an dóigh a bhfuil mé ar shiúl gan leaba agam ach mar bhéarfas an coimhthíoch dom í, agus a mheáchan féin óir de luach ar mo cheann, sílidh sibh uilig go bhfuil sonas an tsaoil agam."

" Is cuma duit, a Bheirnigh chroí," arsa Peadar. " ' Tá Séarlas Óg ag teacht thar sáile.' "

" Tá dúil agam go bhfuil," arsa Mac Murchaidh. " Fan go bhfeice tú mise an lá sin. Ach bíodh a fhios agat anois go bhfuil mé i gcruachás. Is measa mé ná fear a chaillfeadh léim an dá bhruach—tá cos ar gach aon bhruach agam agus mé scartha eatarthu."

" A shamhailt sin i gcloich!" arsa Peadar Ó Doirnín.

" Na mná is cúis leis," arsa an Beirneach. " Dá bhfanadh siad i muinín na measarthachta!"

" Hó, hó!" arsa Peadar Ó Doirnín, " an é nach bhfuil agat ach an bheirt? Shíl mé nach raibh aon bhean ó Ard Mhacha chun na Bóinne nach raibh i do dhiaidh."

" Agus níl," arsa an Beirneach Mór, go hiontach dáiríre; " ach ní hionann iad a bheith i do dhiaidh agus greim a bheith acu ort."

" Agus, a rún, nach fusa fáinne amháin a bhriseadh ná dhá phósadh a dhéanamh. Nach dtig leat bean acu a thoghadh agus an bhean eile a fhágáil?"

" Níl sé chomh furast agus shamhlaíos tú," arsa Mac Murchaidh. " Anois, ar ndóigh, ní bheidh tú ag magadh orm, a Pheadair?"

" Ní bheidh, maise. Ábhar grinn ag búr a leithéid. Ach tuigim féin go bhfuil níos mó ná leath an tsaoil i gcumann fear agus bean. Dá stadadh an cumann sin, stadfadh an saol; agus níl rún ar bith ag an tsaol stad. Níl focal molta nó gealltanas dá meallfaidh an bhean asat nach slabhra cruaidh teann de chuid an tsaoil ar do chaolta é."

" Sin an áit a bhfuil an t-achrann uilig, a Pheadair," arsa Mac Murchaidh; " go gcuireann siad na slabhraí ort sula mothaíonn tú. Tá aithne agat féin ar Mhailí Ní Dheacair."

" Tá," arsa Peadar.

" An lá a chonaic mise í ag teacht ón tobar agus an ghrian ag dul a luí, shíl mé go ndearna sí maidin den tráthnóna," arsa an Beirneach Mór. " Tá sin trí bliana ó shin. Agus is iomaí bean ar labhair mé ó shin léi, agus a ndearna mé greann léi, agus bhí a fhios aici sin agus níor thréig sí mé. B'orm a bhí an ghrian ag fás. Ba é mo theacht brí a saoil agus m'imeacht a neamhbhrí. Ach, a Dhia, a Pheadair, ní na blianta obair iontach. Dá gcuntaiseofá gach lá i mbliain amháin de do shaol, scanródh sé thú. Tá am ag an fhearg is measa i nádúir dhaonna, agus ag an fhuath is duibhe i nádúir dhaonna, agus ag an bhuaireamh is cráite i saol Shíol Éabha, tá am ag sin a theacht ort in aon lá amháin. Cá bhfios domsa má théim a luí anocht an é an Séamas Mac Murchaidh céanna a éireos ar maidin? Baintear barr úrnua as páirc gach aon fhómhar. B'fhéidir nach é toil Dé muid a bheith ar aon dóigh amháin i dtólamh. Ach anois le fada ní scéimh liom a scéimh agus ní grá liom a grá. Agus tá a fhios sin aici. Ní luaithe a éiríos a leithéid sin d'fhear ná tuigeann an bhean é. Ach ní hionann sin agus cead mo chinn a ligean liom. Is amhlaidh atá sí ag éirí níos doirte dom."

" Sin mar is dual do bhean é," arsa Peadar Ó Doirnín. " Ach nach cuma duit? Nach beag atá tú fá chomaoin acu? Nach furast duit do lóistín a thógáil áit éigin eile? "

" Níl mé chomh saor sin uirthi," arsa an Beirneach; " tá bunús mo sheilbh shaolta aici. Tá mo léine shíoda aici, agus an hata agus an chulaith a chuirfidh mé orm an lá a thiocfas Séarlas Óg anall. Agus is measa liom ná an t-iomlán go bhfuil liosta na bhfear aici."

" Liosta na bhfear!" D'éirigh Peadar Ó Doirnín de léim ina sheasamh. " I n-ainm na Bantiarna, ar chaill tú do chúig céadfaí corpartha? Tá ár gcabhóg déanta."

" Ná bí 'na dhiaidh orm, a Pheadair," arsa Séamas.

" Níl mé 'na dhiaidh ort. Ní leigheasfaidh achasán an drochrath. Tá ár gcuid muineál uilig sa tsealán, más ní go bhfuil sealán ar bith déanta. Cá bhfios duit go bhfeallfaidh sí ort? Is é an dán doiligh le bean aghaidh a namhad a thabhairt ar fhear. Bíonn sí ag coigilt a codach féin den chognadh orthu."

" Ach níor inis mé iomlán duit. Labhair mé léi fán scéal agus, cé nár inis mé m'intinn di, tá eagla orm go dtuigeann sí í. D'iarr mé na páipéir uirthi, agus d'éirigh sí dolba agus bhagair sí go ndófadh sí iad. Ní bhfuair mé iad i ndiaidh mo dhícheall a dhéanamh."

" Cá fhad sin ó shin?"

" Seachtain."

" Bhí neart faille aici scéala a dhéanamh ort," arsa Peadar Ó Doirnín. " Níor mhothaigh muid iarghnó a chur ar aon duine dá thairbhe."

" Cad é a bharúilse de Mhailí Ní Dheacair? " arsa Séamas.

" Tá daoine ann," arsa Peadar Ó Doirnín go fadálach, " agus dónn siad agus ní théann siad. Duine acu sin Mailí Ní Dheacair. Níor thaitin sí riamh liom, í féin nó an bithiúnach athara sin aici. Tá sí dolba agus tá sí faltanasach. Tá uchtach aici fosta. Tá rud éigin dothuigthe ina nádúir, sa dóigh nach mbeifeá cinnte cad é a dhéanfaidh sí ina leithéid seo de chás. Tá dúil sa mholadh aici; tá sí amaideach ar an dóigh sin. Sin an rud a thug uirthi toil a thabhairt duitse; bhí sí molta nuair a rinne tú iontas di. Ach is é an áit a bhfuil sí dothuigthe, nach bhfuil an t-olc nó an mhaith iomlán go leor inti. Tá neart bróid agus feirge agus faltanais inti. Ach ní dheachaigh ceachtar acu riamh a fhad le gar nó le míghar. Maith ar bith dá ndearna sí, is de chionn is é a bheith ina ghnás. Olc ar bith dá ndearna sí, ní troime é ná tallann tachráin. Tá mná ann a scallfadh thú dá dtréigfeá iad, mná a d'fhágfadh an tír, mná a phósfadh an fear a ba deise don láimh acu le holc ort. Ní dóigh liom go ndéanfadh sí aon chuid acu sin. Ghlacfá coinneáil léi go mbainfeá a míthapa aisti, sula mbeadh a fhios agat cad é a dhéanfadh sí. Dhéanfadh sí ansin rud éigin go hiontach tobann. Agus ní dóigh liom go mbeadh aithreachas ar bith uirthi ina dhiaidh. Ach is é mo bharúil nach ndearna sí dochar ar bith go fóill. Tá sí contúirteach, agus sin uilig é."

" Nach doiligh domsa a dhul agus a míthapa a bhaint aisti le fios a fháil an bhfaighidh sí crochta mé?" arsa Mac Murchaidh. Bhí cuma chomh brónach air agus go ndeachaigh Peadar Ó Doirnín a gháirí.

" Cá bhfuil an éifeacht a chuir cor ar Sheon na gCeann céad uair, a Bheirnigh Mhóir?" ar seisean.

" Is réidh agat é! " arsa Séamas. " Suaitheann na mná an intinn ag fear, sa dóigh nach ndéanann fir ar chor ar bith. Is neartmhar bréagach an rud an grá. An uair a ba mhian leat scaradh leis tá fiche ceangal aige ort."

" Nár shíl mé gur éag an grá? " arsa Peadar Ó Doirnín.

" D'éag. Ach ní hionann sin agus a rá gur éag a chleachtadh. An síleann tú, dá measadh fear an tí sin thuas gur chóir dó an tír seo a fhágáil agus a dhul chun na Fraince, go stadfadh sé de bhuachailleacht a chuid bó agus caorach, agus d'unfairt fána chuid curaíochta? Níl rud ar bith chomh deacair le tú féin a strócadh amach as cleachtaí. Ní hé nach furast stad de rud gan chéill. Ach is é an dóigh a dtéid an chiall leis an chleachtadh. Tá gníomhartha an tsaoil ag fás ar an intinn mar bheadh eidheann ar sheanbhalla. Is achrannaí an t-eidheann ná an balla. Is achrannaí na gníomhartha ná an intinn."

" Tá sin gearrdhuibheagánach," arsa Peadar Ó Doirnín. Thug doimhne na cainte air dearmad a dhéanamh d'imní na hócáide. " An bhfuil a fhios agat, a Bheirnigh Mhóir," ar seisean, "go bhfuil dhá thaobh ar do chinniúint? Shíl mé inné go raibh filíocht agus uabhar an tsaoil ionat, go raibh an chóir leat ar bhealach na laochra. Chím inniu thú ceangailte ag achrainn bheaga shuaracha, mar bheadh leon i dtréad caorach ann. Nach deacair domsa, nuair nach mé tusa, a thuiscint cad chuige a mbeifeá ceangailte ag rud suarach nuair a thig leat a bheith ag magadh ar lucht seilge do mhuineáil?"

" Níl na ceangail chomh suarach agus shamhlaíos tusa," arsa Mac Murchaidh. " Tá sraith tithe aitheantais agamsa idir an tIúr agus Cairlinn. Agus má chaillim teach Phaitsí Uí Dheacair tá briste ar an tsraith. Caithfidh mé a dhul an taobh eile den chnoc, agus tá barraíocht den dream eile ansin. Ní bheinn sábháilte oíche amháin ann. Mo chreach go bhfuil Cuailgne chomh cúng agus tá. Ach d'fhéadfainn bua a fháil ar an méid sin, ach gurb é go bhfuil sé tuigthe le blianta ag cuid fear Ó Méith gurb é an teach é le tarraingt air. B'fhéidir go bhfuil scéala anois féin ann lá mo choinne."

" Is fearr dúinn a dhul ann anocht go mbreathnaímid an chontúirt," arsa Peadar Ó Doirnín. " Cian nó cóngarach Mailí Ní Dheacair, is ionann 's an cás dúinn é."

Ní raibh istigh ach Mailí í féin. Bhí an seanduine thíos in Ó Méith. Chuir sí dhá ghloine leanna ina láthair agus chuaigh sí amach fán tsráid a thimireacht. Bhí suaimhneas marfach sa teach. Bhí Loch Chairlinne ar a n-amharc ag bun an chnoic agus crainn ghlasa ag fás fá na bruacha aige, agus caisleán ciar i bhfad amach. B'amhlaidh ab fhusa dreach an domhain a thabhairt faoi deara ó tharla gurbh é an samhradh a bhí ann.

" Mothaím rud éigin ag tarraingt ar an teach seo," arsa an Beirneach Mór go leathíseal.

" Cad é deir tú?" arsa Peadar Ó Doirnín go scáfar.

" Ó, ní thuigeann tú mé," arsa an Beirneach Mór. " Ní hí mo chluas a chluin é, nó mo shúil atí é. Tá sé níos faide anonn ná na céadfaí. Ní bheidh sé anseo go ceann fada go fóill."

" Bhain tú an t-anam asam," arsa Peadar Ó Doirnín. " Agus más fearr an dara bail a chuir tú air. Níor chuala mé riamh thú ag caint ar an dóigh sin go dtí inniu."

" Níl a fhios agam an mbeidh fear an tí ar ais gan mhoill," arsa Séamas, nuair a thug sé faoi deara an cailín ag tarraingt ar an doras.

" A Mhailí, tá tú níos áille ná bhí tú riamh," arsa Peadar Ó Doirnín. " An tseachtain seo chuaigh thart, bhí scaifte againn thiar i gCill Shléibhe, agus muid ag caint ar scéimh ban. Moladh a leithéid siúd agus a leithéid seo. Fá dheireadh dúirt mé féin go raibh aithne agam ar an chailín a ba bhreátha i gContae Ard Mhacha nó i gContae Lú, mar a bhí, Mailí Ní Dheacair i mBarr an Fheadáin."

Rinne an cailín óg racht mór gáire.

" Is fada go mbeire sin ar an chéad bhréag a d'inis tú," ar sise.

" Fágfaidh mise eadraibh féin é," arsa Séamas Mac Murchaidh, ag éirí agus ag siúl amach.

Tháinig áthas ar chroí Pheadair Uí Dhoirnín. Ba é seo mar d'iarrfadh a bhéal a bheith. Bhí an Beirneach Mór líofa.

" Séamas bocht!" ar seisean. " Ní ligfidh an t-éad dó éisteacht le fear ar bith eile dhá fhocal a labhairt leat de gheall ar ghleann féin."

Baineadh cliseadh as Mailí Ní Dheacair, mar thiocfaí go tobann uirthi agus í ag smaoineamh. Ansin tháinig an dreach fuar feargach uirthi a thug Peadar Ó Doirnín faoi deara roimhe uirthi.

" Is beag buaireamh a chuir éad riamh air," ar sise.

Ach ní raibh Peadar Ó Doirnín ach ina thús.

" Ó, ní chreidim sin," ar seisean go leamh, ag tabhairt gléas di tosú.

" Tá mo chroí dóite aige," ar sise, gan chotadh gan cheilt, agus dar le Peadar nach bhfaca sé aon bhean riamh a ba nimhní ná í. " Tá sé ar shiúl agus níl cailín sa chontae nár dhúirt sé an focal a ba bhinne aige léi. Chuala mé a oiread scéalta fá dtaobh de, agus lig mé isteach ar chluais iad agus amach ar an cheann eile. Agus anois tá mé ag fáil amach go bhfuil siad fíor. Thug sé gealltanais dom agus bhris sé iad. Is minic a bhí sé le mé a fheiceáil agus le scéala a chur chugam agus ní tháinig sé. Ní inseodh sé dom cá raibh sé aréir nó cá mbeadh sé an oíche arna mhárach. Agus bhéarfainn maithiúnas dó as an iomlán, dá mbíodh sé gan a bheith in amhras orm i ndeireadh ama. Tá culaith leis anseo, agus tá fáilte aige a cur air am ar bith. Is leis féin í. Ach ba mhian leis í a thabhairt leis agus a fágáil ag bean éigin eile. Is leor sin le ciall a chur ionamsa. Dá mhéad uabhar dá bhfuil ann, níl culaith aige le fágáil i gcúram gach aon chailín sa chontae a ndeachaigh sé a mhagadh uirthi."

Chuaigh Peadar Ó Doirnín a gháirí go séimh.

" Ó, an chulaith sin! Tá mé bodhar ag éisteacht leis ag caint fán chulaith sin atá sé le cur air an lá a thiocfas Séarlas Óg anall. Ná bíodh ceist ort gur fhág sé culaith ar bith a bhfuil a leath oiread sílte aige di ag bean ar bith eile. Agus ná síl go bhfuil sé ag cur iarghnó ar bith ar an chulaith. Inseoidh mise duit cad é atá ag déanamh meadhráin dó. Páipéar a d'fhág sé anseo, agus tá amhras air gur chuala na saighdiúirí iomrá an tí seo. Bhí muid ag caibidil na ngnaithe seo ag cruinniú ar na mallaibh agus socraíodh go dtabharfaí iomlán páipéar go dtí teach áirid atá domhain sa tsliabh. Agus mo Shéamas bocht, cuirfidh mé geall gur mhill sé féin an scéal, an dóigh a ndeachaigh sé ina cheann."

" É féin agus a chuid páipéar! " arsa Mailí; " cad chuige ar fhág sé anseo iad má bhí contúirt ar bith iontu? "

" A Mhailí chroí! " arsa Peadar Ó Doirnín, " chaithfeadh sé a bhfágáil i dteach éigin. Agus ní raibh teach ar bith a ba mhó a raibh muinín aige as ná an teach seo. Sin mar déarfá, ní raibh bean ar bith a ba mhó a raibh muinín aige aisti ná thusa. Mar a dúirt sé liomsa inniu féin, d'fhág sé a shaibhreas saolta agat. Á, dá gcluinfeá thusa Séamas Mac Murchaidh ag caint ort! Dá mbíodh a fhios agat go dtig d'ainm leis nuair is mó a bhíos contúirt air! Agus, a chailín, is é féin a chuireas a cheann i nguais go minic. Tháinig sé tríd a oiread le dhá lá agus gur leor le fear eile é le a bheith ag scéalaíocht air go ceann bliana. Tig éifeacht an tsaoil ina airicis. In aimsir na bhFiann a ba chóir dó a bheith beo. Lá aonaigh Chairlinne tháinig sé chugam anall ó Bheanna Boirche, i mbád cheithre mbuille, agus ní raibh a fhios agam cé an aird de na ceithre hairde fichead ab iontaí liom é a theacht. Tháinig sé as Crois Mhic Fhloinn an mhaidin sin. Agus nuair a tháinig sé go bun Sliabh gCuilinn cad é atí sé ach garda saighdiúirí le lucht an aonaigh. Lig sé thart iad, agus nuair a bhí an fear deireanach fá choiscéim de, chuaigh de léim ar a chúlaibh, agus chaith as an diallait é, leag brod ar an chapall, agus as go brách leis. Nuair a tháinig sé chun an Chaoluisce, thug sé an capall do ghiolla le coinneáil, chuaigh isteach ar dhoras tosaigh theach Bhriain Uí Anluain, agus amach ar an doras cúil, agus anonn ar an tsnámh go dtí an taobh eile. Leathuair ina dhiaidh sin bhí sé ag tarraingt anall go Cairlinn i mbád.

"Ach ní raibh ansin ach tús lae aige. Nuair a bhí sé istigh i lár an aonaigh tharraing siad garda thart ar an bhaile. Chuaigh mo ghruagach isteach i dteach agus suas an staighre go dtí an fhuinneog barr. Thug sé léim ón fhuinneog barr chun talún agus thug a aghaidh ar an tsliabh. Bhí siad ina dhiaidh ó bhí tús eadartha ann go raibh nóin bheag agus deireadh an lae ann. Chuir sé coradh orthu seacht n-uaire agus níor éirigh leis a gcur óna seilg. Agus teacht na hoíche casadh istigh i seanteampall é. Cad é, do bharúil, a rinne sé? Chruinnigh sé lán a uicht agus a ascaillí de bhrosna agus d'fhadaigh tine. D'fhág sé a hata cois na tine agus d'imigh leis. Nuair a tháinig na saighdiúirí go dtí an tine shíl siad go raibh acu, agus nach raibh le déanamh ach fanacht go bhfilleadh sé. Ar feadh a bhfuil 'fhios againn tá siad ina suí ansin go fóill. Tháinig sé chugamsa ceanntárnocht go teach Shéamais Mhic Ardghail. Agus, a Mhailí Ní Dheacair, dá mbíodh a fhios agat é, is ort a bhí sé ag caint oíche agus lá, idir chontúirt agus uile."

Ba mhaith a bhí a fhios ag Ó Doirnín na séad an dóigh lena ceansú. Bhí glór a chinn caoin, agus chuir sé an comhrá ina láthair mar d'fhóir sé, an dóigh ar chuir sé na siollaí binne in *Úrchnoc Chéin Mhic Cáinte.*

" B'fhearr liom gan é a bheith leath chomh gaisciúil agus atá sé," arsa Mailí Ní Dheacair. " B'fhearr liom é a bheith bacach, balbh agus focal fir a bheith aige ná dá mbíodh sé ábalta an domhan mór a choscairt."

" Níorbh fhearr leat," arsa Peadar Ó Doirnín. " Dá mbíodh sé bacach balbh ní bheadh sé maith go leor agat. Dá mbífeá thusa bacach nó balbh ní smaoinfeadh seisean ort. Is cionn is sibh a bheith ag fóirstin dá chéile a bheir darna gach aon chumann agus gach aon chomhrac eadraibh."

Mhaothaigh sí mar bhuailfeá do dhá bhois ar a chéile.

" An síleann tú go bhfuil muid ag fóirstin dá chéile? " arsa sise.

" Ag fóirstin dá chéile! Tá mé cinnte de. Léifidh mé do lámh, má thugann tú dom í."

Agus shín sí an lámh chuige. Más suarach an cleas é, fuair sé bua ban riamh.

" Tá saol fada romhat," arsa Peadar Ó Doirnín, " ach tá achrann beag cóngarach duit anseo. Tá tú ag dul tríd dhorchadas, ach tá solas geal gréine ar an taobh thall. Tá fear óg anseo agus tá do chúl leis. Ach tá tú ag fáil dhá chomhairle, agus má ghlacann tú an ceann deireanach beidh d'aghaidh arís air. Tím scuad millteanach páistí anseo, páistí fionnbhána, cuid ina gcúplaí. . . ."

Ach sciob Mailí an lámh uaidh.

" B'fhéidir nach gcreideann tú mé," arsa Peadar, " ach inseoidh an t-am é."

" Cad é mar thig leat sin a léamh? " arsa Mailí.

" Fágadh an bhua sin agam," arsa Peadar Ó Doirnín, " más beag eile a fágadh agam. Agus an bhfuil fhios agat cad é atá mé ag dul a insint duit? "

" Níl a fhios agam."

" B'fhéidir dá dtabharfá na páipéir sin domsa go dtiocfadh an tairngreacht atá i do láimh isteach fíor roimh luí gréine."

D'éirigh sí agus chuaigh sí suas chun an tseomra, agus bhí sí tamall ag siortú. Ba léir do Pheadar Séamas Mac Murchaidh ina sheasamh os coinne an dorais agus a aghaidh ar an chuan.

Tháinig sí anuas ar ball beag agus na páipéir léi. Thug sí iarraidh iad a shíneadh dó, ach chrap an lámh dá hainneoin. Bhí greim an duine bháite aici orthu, greim mná ar an leannán atá ag imeacht uaithi.

" Coinnigh iad, a Mhailí," arsa Peadar Ó Doirnín. " Is fearr i do chúram iad ná i gcúram aon duine beo. Dá bhfaigheadh na saighdiúirí féin iad ní mó ná gur mheasa é ná muid amhras a fhágáil ortsa agus a nglacadh uait."

Thug sí ansin iad, go fonnmhar.

" An bhfuil an scéal mór tairbheach sin criathraithe agaibh? " arsa Séamas Mac Murchaidh, ag teacht chun an dorais.

" Tá mise ag stad, agus tá an t-am agatsa toiseacht," arsa Peadar Ó Doirnín. " A Mhailí, an bhfuil aon phíopa agat, go gcaithfidh mé toit fá shuaimhneas amuigh faoi aer an tráthnóna? Mo rogha amharc in Éirinn, is é Cuan Chairlinne ón teach seo é."

Fuair sí píopa dó, agus shuigh sé ar mhaide a bhí sa gharraí, agus thosaigh sé a chaitheamh tobac.

Níor mhó ná gur léir dó féin cé air a raibh sé ag meabhrú, ach chaith sé an píopa agus líon sé agus chaith sé athuair é. Bhí neart an lae á chloí ag an tráthnóna, agus d'éirigh an t-aer fuar ina thimpeall agus spréidh scáile trasna an gharraí. Nuair a thug sé faoi deara é shíl sé go dtáinig an t-athrú i bhfaiteadh na súl.

Bhí glór grinn agus gáirí sa teach ag an dís a bhí istigh.

" Dar leat go bhfuil siad dáiríre," arsa Peadar Ó Doirnín; " go bhfuil áthas an tsaoil idir an bheirt. B'fhéidir go bhfuil. Chuaigh siadsan an t-áth agus chuaigh mise an clochán . . ."

Agus dá mba mhian leis an deireadh a chur leis an tseanfhocal, ní bhfuair sé faill. Nó cé atí sé ag tarraingt air isteach an bhearna ach sean-Pheaitsí Ó Deacair.

2. *Peaitsí Ó Deacair*

Níorbh í an aois shoineanta a thig ar fhear i ndeireadh a shaoil agus a laetha a bhí ag Peaitsí. Ní raibh sé os ceann leathchéad bliain. Ach bhí sé searbhaosta. Bhí súil fhaichilleach aige a bhí ag teitheadh agus ag coimhéad, agus bhí a cheann chomh liath agus gur bhain sé an dath as, agus ní raibh sé liath go leor le dath a chur ann. Tá mórán fear a bhfuil an dreach sin orthu, nó is páirt de chrothaíocht duine meánaosta é. Ach bhí rudaí eile ina dhreach agus ina mhéin, agus ba leis féin iad. Bhí fearg ina nádúir; d'aithneofá sin ar a bhéal agus ar a ghaosán go fóill, cé go ndeachaigh a bhaill as stá. Bhí fíoch i ngreim a láimhe nuair a bheir sé ar an gheata. Agus bhog sé a liobra mar bheadh fear ag caint leis féin. An fear a mbíonn comhrá leis féin aige, ní bhíonn intinn fholamh aige.

Bhí, bhí sé liath gan dath, agus eagla an tsaoil ina dhreach; thig sin ar an chine daonna sula dtosaí an ruaig síos an mhala ag tarraingt ar bhéal na huaighe. Ach bhí iarratas agus bród ann ab óige ná sin, agus bhí a chroí daite go tréan, mar bheadh teach á loscadh san oíche ann.

Dhírigh Peaitsí é féin go colgach, agus é ina sheasamh sa bhearna, nuair a thug sé faoi deara Peadar Ó Doirnín ag amharc air.

Nuair a bhí Peaitsí Ó Deacair ina ghasúr, throideadh sé nuair a thigeadh air, dalta ghasraí an tsaoil. Bhuadh sé corruair, nó bhí sé tintrí agus urchóideach. Ach bhí amanna eile nach mbuadh. Agus tháinig sé go holc leis an bhualadh riamh. Bhí gasúr amháin, Mícheál Ó hAnluain—bhí sé marbh an t-am seo—agus bhuail sé Peaitsí. Throid siad arís agus arís eile, agus Peaitsí ag dúil go mbeadh an bhua in am éigin aige, ach buaileadh i gcónaí é. Fá dheireadh stad sé de throid; ní raibh sé foighdeach riamh. Ach má stad ní thug sé maithiúnas dó. Agus tháinig an bás ar Mhícheál Mór Ó hAnluain agus é ina neart. Bhí Peaitsí beo ina dhiaidh mar nach mbeadh an gníomh a ba dual dó déanta aige. B'fhéidir go bhfuil cinniúint i ndán do gach fear, agus nach dtig leis na glais a scaoileadh den cholann daonna go raibh sí comhlíonta aige.

" Tá tú mar bhí riamh," arsa Peadar Ó Doirnín. " Tá sé tamall ó chonaic tú mise chugat."

Thug Peaitsí amharc fiata doicheallach air; agus ansin chuir sé aoibh bháiteach air féin agus dúirt sé:

" Tá, maise. Sé do bheatha."

Ní raibh Peaitsí réidh le comhrac a dhéanamh go fóill. Bhí sé mar sin anois le tamall maith.

Nuair a tháinig Peaitsí i méadaíocht rinne sé dearmad den áthas agus den bhuaireamh, den achrann a bhí air nuair a bhí sé ina ghasúr; nó shíl sé go ndearna. Bhí sé ina bhuachaill óg ghreannmhar go leor, agus dúil mhór i gcuideachta aige, cé go raibh dóigh riamh leis a thug ar dhaoine a shílstin nach raibh ach cur i gcéill ina ghreann. Bhí sé ar bharr na gaoithe, agus níor ghlac sé an saol dáiríre, nó lig sé air féin nár ghlac. Agus, dálta gach duine a bhíos ar bharr na gaoithe, pósadh go hóg é. Bhuaigh sé an iarraidh sin. Bhain sé an bhean de Dhiarmaid Mhac Cuarta. Ach ní tháinig lena chroí féin bréag a insint dó. B'fhearr an fear Diarmaid Mac Cuarta ná é. Ghlac an bhean é cionn is é a bheith ní ba laige. Tá an taobh sin ar na mná. Dá mbíodh an bheirt fhear chomhair a bheith cothrom, ba dóiche go rachadh sí leis an fhear a ba láidre. Ach ní raibh Peaitsí ina fhear chomh maith le Diarmaid, nó, ar scor ar bith, níorbh é an cineál céanna gaisciúlachta a bhí sa bheirt.

Bhí Diarmaid ina mhairnéalach agus shiúil sé seacht muir an domhain. Bhí sé ní ba chaifí ar airgead. Bhí a bhunadh riamh mar sin, agus ní ba mhó acu fosta le caitheamh ná a bhí ag bunadh Pheaitsí; ach ba bheag a bheadh fágtha i ndiaidh Dhiarmada. Chuaigh Peaitsí i gcoimhlint iomartha le Diarmaid uair amháin agus buaileadh é. Ní raibh sé baol ar inchomhrá ná inghrinn leis ach a oiread. Bhí siad ag dul a throid oíche amháin, ach chuaigh fir eatarthu. Ar feadh tamaill fhada ina dhiaidh sin bhí Diarmaid i ndiaidh Pheaitsí, agus bhí eagla ar Pheaitsí roimhe. Ba mhó an fear Diarmaid i bhfad, agus bhí an t-iomrá air gur fhoghlaim sé cleasa in áiteanna coimhthíocha i bhfad anonn, cleasa nach raibh ag aon duine in Ó Méith. Chuaigh Peaitsí fá dheireadh agus d'iarr sé an bhean, agus glacadh é. Ach ní raibh sé leathuair istigh go dtáinig Diarmaid. D'athraigh an bhean óg a hintinn ansin, agus dúirt sí go gcuirfeadh sí chun siúil an bheirt. Ach dúirt a hathair nach raibh sin ceart nó cóir, agus an fear a ghlac sí go mb'fhearr di é a choinneáil. Choinnigh sí Peaitsí ansin. Níor mhór an bhua é, nuair a bhí deireadh thart.

Fear fírinneach a bhí ann. Dá dtéadh aige bréag a chur in iúl dó féin an iarraidh sin ba shuaimhní dá intinn é. Ach ní dheachaigh; agus ar feadh dhá bhliain i ndiaidh a phósta d'ól sé a oiread agus nach raibh ann ach nár chuir sé é féin amach ar an doras. Agus chonacthas dó gur mhéadaigh drochmheas daoine gach aon lá air. Nuair a stad sé den ól d'imigh an drochmheas, dar leis. Is í barúil an tsaoil an bharúil a bhíos ag duine dó féin, go háirid más drochbharúil í.

Na blianta a bhí sé ag ól d'fhoghlaim sé a bheith cainteach leis an tsaol mhór, agus lean sin de. I gceann bliana nó dhó eile thosaigh sé a choinneáil síbín. D'éirigh an saol leis. Rinne sé lón airgid. Agus ansin, lá amháin, mhothaigh sé é féin tuirseach. Dar leis gur bheag an tsuim é féin agus a bhonnachán beag. Bhí teann anama ann nach dtáinig in éifeacht riamh. Thosaigh sé a mheabhrú.

Bhí cuid mhór d'fheara na háite sna Buachaillí Bána. Dar le Peaitsí gur sin an áit aige lena chuid crógachta a nochtadh. Thug sé iarraidh a dhul iontu, agus bhí a lán de na fir ina leith. Ach bhí namhaid amháin aige, agus thug sé i gceann na bhfear an t-am ar cheannaigh Peaitsí an bhó a tógadh ón bhaintreach ar son cíosa. D'éirigh leis a choinneáil amuigh.

Tháinig an loscadh croí ar Pheaitsí arís. Thosaigh sé ar an ól arís, agus bhí sé ní ba deacra stad an t-am seo. Ach tháinig taisme air a rinne a leas. Fuair a bhean bás.

Bhí Peaitsí ar feadh tamaill chomh mór le rothaí an tsaoil. Ní an bás an t-uasal íseal agus an t-íseal uasal. Nuair a d'imigh an chumha, dar leis go ndearnadh fear eile de. Ní raibh croí bog ní ba mhó aige; ní raibh aige ach intleacht.

Agus shocair an intleacht í féin ar dhéanamh airgid. D'éirigh Peaitsí fabhtach ceachartha. Agus d'éirigh an saol leis. Ní dheachaigh sé sna Buachaillí Bána, ach thosaigh na Buachaillí Bána a bhí ar a seachnadh a theacht chun an tí ar ceathrúin chuige. Bhí siad ag teacht ar feadh na mblianta go dtí go raibh sé tuigthe ag an tsaol gurbh é an teach é a ba dlisteanaí i gCuailgne nó fá shiúl lae de. Ní luaithe a chruinnigh sé chuige cumhacht ar theann a dhíchill ná bhí siad fá dtaobh de mar bheadh míoltóga ann.

Bhí drochmheas ag Peaitsí orthu féin agus ar a gcuid focal mór agus a gcuid aislingí baoise. Mian rí agus beatha an ghiorria, b'olc an dís iad i gcuideachta. Dá mhéad dá dtiocfadh acu bhí fáilte aige fána gcoinne, nó ba leor mian rí nó beatha giorria, ceachtar acu ann féin, le fear a chur a ól. Bhí an bhua aige orthu, agus ní tháinig fear ar bith chun a thí a mb'fhiú leis malairt dóighe a dhéanamh leis. Bhí aiféaltas orthu uilig i láthair an té a d'fhan i mbun na saoltachta agus ar éirigh sí leis.

Déarfadh an té ba ghéire súil ar bith go raibh an Peaitsí a bhí díbheirgeach agus bródúil chomh marbh le sneachta na seanbhliana.

Ach tháinig an Beirneach Mór an bealach. Tháinig sé ar dhóigh a bhainfeadh an anáil d'fhear ar bith. Lá amháin tháinig cóiste agus dhá phéire capall ann go dtí an doras, agus rith Peaitsí amach ina n-araicis agus a hata ina láimh. Cad é fuair sé ach an Beirneach Mór istigh ann agus piostal le cluais an tiománaí aige, agus ridire Sasanach ar a bhéal agus ar a shrón aige agus é ina shuí ina mhullach, agus é ag teagasc dó Paidir agus Aibhé Mairia a rá i nGaeilge!

Tháinig Séamas chuige arís an tseachtain ina dhiaidh sin, agus bosca snaoisín leis a bhain sé den ridire. Thug sé bosca an tsnaoisín d'iníon Pheaitsí, agus rinne sé an dú-lá de le caint agus le ceol, agus chuir sé Peaitsí agus an teach agus an chuideachta a bhí istigh faoina chosa. Fear iontach a bhí ann. Bhí beatha an ghiorria aige, ach " an giorria a imíos bí sé mór." Bhí mian rí aige, ach ansin bhí dreach rí air agus dóigh rí leis, agus bhí culaith éadaigh air nach mbeadh dochar do rí a chaitheamh, cár bith áit a bhfuair sé í. Tháinig sé arís agus Peadar Ó Doirnín leis, agus, cé nach raibh an tiardas céanna i bPeadar, bhí eagla ar Pheaitsí roimhe. D'inis a chroí dó gur thuig Peadar é, go bhfaca súil an fhile an Peaitsí dubh tintrí nár athraigh riamh, ach a oiread agus athraíos an fhuil le linn cranra a theacht sa chraiceann. Bhí fuath colgach aige ar Shéamas Mac Murchaidh, ach theithfeadh sé síos bóithre na síoraíochta roimh Pheadar Ó Doirnín. Nuair a bhíodh an bheirt aige i gcuideachta bhíodh sé mar bheadh fear a bheifí a mheilt idir chlocha brón, fear á smachtú agus an fear eile ag aithint cad é an loit a bhí na buillí a dhéanamh.

" Tá tú ag seasamh d'aoise go maith," arsa Peadar.

Bhí sé de bhua ar Pheadar go n-abraíodh sé i gcónaí an rud a chuireadh fearg ar Pheaitsí. Rinne Peaitsí osna dá ainneoin.

" Níl mé caite go fóill, ná baol air," arsa seisean, á cheapadh fein.

" Imíonn an stá as an éadach, faraor, sula raibh sé i bhfad ar caitheamh," arsa Peadar Ó Doirnín. Ní le holc ar bith a dúirt sé é, ach ag meabhrú dó féin ar an tsaol. Ach chuir sé Peaitsí ar an daoraí.

" Bíodh sé as stá nó ná bíodh, is fiúntach é nuair is leat féin é," ar seisean. " Nuair a thiocfas tusa tríd a oiread den tsaol liomsa, is iomaí práta a bheas ite agat i dteach na muintire eile."

Mhuscail an aibéil chainte Peadar Ó Doirnín. " Ní le duine maoin, ach le pobal, a sheanphréacháin léith," ar seisean; " bheadh ní ba mhó de phrátaí agam ná atá agatsa, dá mb'fhiú liom é."

Níor iarr Peaitsí air imeacht agus gan a dhoras a dhalladh choíche ar ais. Bhí sé ní ba doimhne ná sin; bhí sé tuigthe aige nach raibh scaradh aige le Peadar Ó Doirnín. A fhad agus bheadh na Buachaillí Bána fán áit bheadh Peadar cóngarach dó; a fhad agus bheadh filíocht á haithris i gCuailgne bheadh Peadar cóngarach dó; agus, diomaoite de sin, nuair a chasfaí daoine le chéile ar bhóithre an tsaoil ní raibh fairsingeach an dearmaid acu, nó tá bóithre an tsaoil cúng. Ní daille intleachta an locht a bhí ar Pheaitsí ar chor ar bith. Shiúil sé isteach chun an tí mar bheadh madadh a mbagrófaí air.

" Nár aifrí Dia orm é !" arsa Peadar Ó Doirnín, agus thug sé súil aislingeach ina dhiaidh. " Tá sé ar shiúl isteach anois i láthair an Bheirnigh Mhóir agus a chleití síos leis. Ach, ar ndóigh, is é féin a ba chiontaí. Níor dhúirt mé focal a ghoinfeadh bean uasal leis gur bhain sé asam é." Shíl sé sin.

Dhó nó thrí de bhomaintí ina dhiaidh sin d'éirigh gleo gáirí agus cainte istigh. Chuala Peadar an Beirneach Mór ag rá : " Seasaigh anois ! Seasaigh anois go ndéanaimid fear díot ! " Agus Peaitsí ag rá : " Fan uaim anois, a amadáin mhóir. Fan uaim anois ! "

Leis sin scairt an Beirneach Mór : " A Pheadair, a gheall ar Dhia, goitseo ! " D'éirigh sé agus chuaigh sé isteach.

Bhí Peaitsí ina sheasamh i lár an urláir agus an cóta glas a bhí Séamas Mac Murchaidh a thaisce fá choinne lá Shéarlais Óig air. Bhí sé míle rómhór aige, agus bhí a ghuaillí ar iarraidh ann, agus na sciortaí ag dul go leath a mheallta air. Bhí sé mar bheadh corr mhóna ann a mbeadh a cuid eiteoga síos léi. Bhí a iníon agus an Beirneach Mór, agus beirt nó triúr eile a bhí istigh, ina seasamh ag amharc air agus cheanglófá le sifín iad.

" Tá cuma uasal air," arsa an Beirneach Mór. " Bhéarfadh sé Séarlas Óg é féin i do cheann. Ní hea, ach bhfuil a fhios agat cé leis a bhfuil sé cosúil? Leis an Duke of York. Chonaic mé uair amháin i Londain é."

" Seo, seo, a Bheirnigh Mhóir," arsa Peadar. " Is í an mheasarthacht an chuid is saibhre den ghreann."

" Bí do thost, a dhuine," arsa Séamas, " ní fhaca mé aon amharc riamh ach é. Amharc aoir agus iontais. Ábhar filíochta é. Ag caint ar ' Ghearrán Bhriain Uí Bheirn.' Cá ndeachaigh d'eagna chinn, a Pheadair Uí Dhoirnín? Ná lig anuas dá dhroim é go gcuirimid i gceol é.

> Cá bhfuil Paitsí a bhí deacair, do-ranna, rinneach
> rothánach le fada riamh?

Damnú ort, a Pheadair Uí Dhoirnín, cuidigh liom."

Ní raibh neart ag Peadar air féin. Ar seisean:

> Is gur fhás an mhaise air mar bhláth ar an dreasóig
> le feabhas a chasóige taobh amuigh dá chliabh.
> Cé dúirt dá gcóireofá gabhar go dóighiúil
> go mbeadh sé i dtólamh ag méiligh gan chéill,
> Nuair atím an feolamán gléasta in órshnáithe
> 's a mhéin chomh bródúil le Seán Ó Néill?

" Ná raibh an fad sin de thinneas bliana ort, a Pheadair Uí Dhoirnín," arsa an Beirneach Mór. " Ceathrú eile. Ó, a Thiarna, tá pian i mo thaobh ag gáirí :

> Clanna Míleadh dá bhfeiceadh an díthreabhach go mbeadh orthu ionadh agus uafás mór.

Cuidigh liom, a Pheadair, cuidigh liom."

Ach bhí aithreachas ar teacht ar Pheadar. Níor ghnáth le cuid grinn Shéamais a bheith chomh folamh seo, agus cé gur chuir sé meadar iontach sa chleas, ní raibh ann go dearfa ach cleas suarach, agus cleas a bhí thar a bheith díomúinte. Agus ba é Peaitsí Ó Deacair an fear deireanach lena leithéid de ghreann a dhéanamh leis.

" Chuaigh tú fada go leor," ar seisean.

Fuair Peaitsí an teanga leis.

" Tá súiste in airde sa chúpla," ar seisean, " agus gearrfaidh mé an iall agus bhéarfaidh mé do rogha duit, lámhchrann nó buailtín, agus bainfidh mé do chuid díomúinte ina dhrúichtíní fola amach as mullach do chinn."

" Ná déan duine sonraitheach díot féin, a athair," arsa an iníon, " ar mhaithe le greann gan urchóid."

" Ní mé a rinne duine sonraitheach díom, ach eisean," arsa Peaitsí. " Agus . . ."

" Seo, bain díot é," arsa an Beirneach Mór. " ' Ní cosúil le hÓ Néill do shliasaid nó do shlinneán, agus fágfaimid i mbliana thú do Dhiarmaid Ó Biorráin.' A Pheaitsí chroí," ar seisean go lách, " ní do dhuine a gháire. Níor chuir mise urchóid ar bith sa phriollaireacht sin. Ní siocair bataí ar bith í."

" Ní hea," arsa fear eile de na fir. " Níorbh fhiú d'fhear ar bith a bheith feargach fán chleas."

" Ólfaimid uilig deoch a chneasós gach aon chneá," arsa an Beirneach Mór. " Cad é do bhraon, a Pheaitsí? Anois ná bíodh fear ar bith faiteach."

Fuair siad uilig deochanna, agus chaith an Beirneach Mór bonn leathchorónach ar an bhord. Níor ghnáth leis íoc ar son na biotáille i gcónaí, ach bhí dola an iarraidh seo in éiric an mhagaidh.

Théigh an comhrá de réir mar chuaigh na gloiní thart. Fuair gach aon fhear a cheart féin, ach ina dhiaidh sin bhí meáchan an tseanchais ag Séamas Mac Murchaidh, agus an ceann ab éadroime ag Peaitsí. Bhí a shúil fhaichilleach i dtólamh ag coimhéad an fhir mhóir, agus í ag éirí ní ba tintrí leis an ólachán, agus iad ina seasamh san phlochóg dhorcha faoin lafta, an áit a mbeadh obair agat tóirt bairille leanna a thabhairt faoi deara. Agus bhí Peadar Ó Doirnín á mbreathnú ar aon, sa dóigh a bhí aige i láthair an tsaoil ar na mallaibh.

" Ar inis mé riamh daoibh fán uair a casadh Naos Ó hEacháin orm? " arsa an Beirneach Mór. " Bhí siad ceathrar deartháracha ann, agus nuair a bhí siad ina bpáistí ba ghnáth leis an athair agus leis an mháthair an dá dhoras a fhoscladh agus breith ar dhá shúiste. Bhuaileadh siad leo leis na súistí, agus na páistí ina rith amach agus isteach, agus an té a dtiocfadh buille air, bíodh sé aige. Sin an dóigh ar fhoghlaim siad lúth na gcnámh dóibh. Nuair a tháinig siad i méadaíocht chuaigh siad amach ina gceithearn choille. Crochadh iad uilig, de réir fear is fear. Ba é Naos an fear deireanach acu. Casadh ormsa é oíche amháin, bliain nó dhó sular chuir siad a gcrúba air.

" Bhí an tseilg chomh fuarbhruite i mo dhiaidh agus gur éirigh mo chroí trom. Is beag a bhéarfadh orm siúl isteach go hArd Mhacha agus a rá: ' Seo me! Plóid ar bhur n-uchtach! ' Lá amháin agus mé i mo sheasamh agus m'ucht le claí ag amharc soir ar Bheanna Boirche, dar liom go gcaithfeadh rún a bheith acu. I gceann leathuaire bhí mé ar an bhealach ag tarraingt orthu.

" Nuair a bhain mé na Beanna amach níor casadh dada iontach orm, agus tharraing mé an dara ruaig ar ghleannta Aontroma. Níor stad mé go ndeachaigh mé tríd Bhéal Feirste agus é lán saighdiúirí. Agus amach liom ó thuaidh go raibh mé ag bhun Shliabh Trostáin.

" Ní raibh tithe aitheantais ar bith ar an bhealach agam. Chuaigh mé isteach tráthnóna amháin i dteach ósta a bhí istigh in ascaill an chnoic, agus cosán coise ón bhealach mór suas a fhad leis. D'aithin mé ar fhear an tí, d'aithin mé ar a dhá shúil é, go raibh sé in amhras orm. Ach bhuail mé bos sa tslinneán air, agus scairt mé ar dheoch dom féin agus dó féin, agus chuir dreach tíorúil ar an chaidreamh.

" Níorbh fhada go dtáinig an diúlach mór fadchosach isteach. Thug sé amharc amháin orm agus d'imigh anonn agus shuigh ag an fhuinneog. D'éirigh fear an tí a fhreastal air, ach thóg sé a lámh ina éadan.

" ' Ní ólfaidh mé aon deor i do theach,' ar seisean, ' go bhfeicimid cén fear anseo is faide a shiúil inniu.'

" Dar liom féin, seo an cuaille comhraic buailte.

" ' Nílimid istigh ach an bheirt,' arsa mé féin, ' agus má shiúil tú níos mó ná fiche míle tá an deoch ort.'

" Rinne sé racht mór gáire.

" ' Shiúil, maise. A Pháidín, líon iad.'

" As sin a tháinig, agus roimhe am luí bhí aithne againn ar a chéile. Thuig gach aon fhear againn an fear eile, agus d'inis muid ár n-ainm agus ár n-áit dhúchais dá chéile. Chuala Naos Ó hEacháin iomrá ar Shéamas Mac Murchaidh roimhe, agus chuala Séamas Mac Murchaidh iomrá ar Naos Ó hEacháin.

" Chuaigh muid a luí fá dheireadh. Thit mé féin thart. Níorbh fhada gur mhuscail mé agus go bhfuair mé an fear ina sheasamh ag colbha na leapa. ' Faichill a thóna féin ar gach giolla, a Naois Uí Eacháin,' arsa mise, ' cha bhfaigheann tú mo sparánsa,' agus sciob mé piostal as faoin cheannadhart. ' Damnú ar d'anam,' ar seisean, ' an íosfadh seabhac seabhac eile? Ach tá fear a dhíth orm a bhfuil sracadh ann. Tá sean-Albanach amuigh ag Bun Abhann Dalla a bhfuil a oiread de lón aige agus go mb'fhiú do dhá ghruagach é a bhaint de. An mbeidh tú liom? ' ' Tá a oiread fáilte romhat leis an chéad tráth prátaí úr,' arsa mise. ' Beidh mé leat ar maidin.' ' Bain an codladh as do shúile,' arsa seisean, ' tá an mhaidin ann cheana féin.' Thug mé faoi deara ansin go raibh an lá geal ann agus d'éirigh mé. Bhí maidin ann go díreach mar bhí inniu ann, agus muid ag dul trasna an tsléibhe. Bhain muid Bun na hAbhann amach nuair a bhí na daoine ag éirí agus shuigh muid i gcoill agus chaith muid dhá phíopa tobac, agus rinne muid ár gcomhrá go dtug muid faill do na daoine a dhul chuig a ngnaithe.

" D'ionsaigh muid an teach ansin. Teach mór fiúntach a bhí ann, ina shuí ar ardán agus crainn thart air. Casadh beirt fhear orainn sa stábla agus cheangail muid iad. Ní raibh an dara duine le feiceáil. Isteach linn. Níor bhog a oiread agus pisín cait.

" Leis sin amharcaim féin isteach i seomra agus chím cailín óg ina suí agus gléas ceoil aici, agus gan í ag seinm air ar chor ar bith ach ag amharc amach ar fhuinneog bheag chúil ag smaoineamh ar an tsaol mór. Ní raibh inti ach leathchailín; bheadh obair aici a bheith cúig bliana déag. Shiúil muid isteach.

" D'amharc sí orainn gan eagla nó aiféaltas uirthi. ' Ná scanraigh, a rún,' arsa Naos Ó hEacháin. ' Ní dhéanfar dochar ar bith duit. Mise Naos Ó hEacháin, agus tháinig mé go dtugainn liom an taisce. Éirigh anois, mar bheadh cailín maith ann, agus siúl romhainn go dtí an seomra a bhfuil an t-airgead ann."

" 'Maith go leor,' ar sise, go bog soineanta mar bheadh leanbh ann.

D'éirigh sí agus thug suas staighre muid go dtí doras donn agus d'oscail an doras dúinn. Thug mé mo shúil ar an ghlas ag dul isteach dom agus ní raibh eochair ar bith ann. Bhí leath an tsuilt ar shiúl as na gnaithe; bhí sé rófhurast.

" Bhí fuinneog bheag amháin ar an tseomra agus barraí iarainn uirthi. Bhí sé cineál dorcha, agus bhí muid ag breathnú thart nuair a baineadh an tormán as an doras taobh thiar dínn.

" Bheir Naos ar an mhurlán agus chas sé agus chraith sé é. 'Itheann na muca míne féin triosc,' ar seisean. 'Tá an glas orainn.'

" Chuaigh mé féin de rása anonn go dtí an fhuinneog agus bhris mé í agus fuair mé greim ar na barraí iarainn agus tharraing mé go raibh mo bhunrí ag creathadaigh. Diabhal biongadh a bhain mé astu.

" 'Caithfimid an doras a bhriseadh,' arsa Naos Ó hEacháin, 'agus gan dada againn lena bhriseadh ach guaillí fear.'

" Chuaigh sé ar a chúl agus thug sé rúide ar an doras, agus shílfeá gur chroith sé an teach. Ach tháinig sé ar ais ón doras mar thiocfadh cnag ó chamán. Thug mise an dara léim air, ach ní dhearna mé a dhath ní b'fhearr é.

" 'As a chéile a níthear na caisleáin, agus as a chéile a bhristear iad,' arsa Naos Ó hEacháin, ag tabhairt iarraidh eile.

" Bhuail muid a oiread ar an doras sin agus a bhuail gunna mór riamh ar bhábhún, ach ní raibh gar ann. Bhí ár gcuid corp dearg nimhneach agus muid ag barcadh allais dínn féin. Leis sin mhothaigh mé féin boladh toite i mo ghaosáin.

" 'An mothaíonn tú dada?' arsa mise. " 'Boladh ar bith?'

" Lig Naos búir as féin. 'Tá an teach le thine,' ar seisean. 'Anois táimid san áit nach mbíonn moill ár gcócaireacht!'

" 'Fan ort go fóill,' arsa mise, 'agus ionsóimid ár mbeirt an doras i gcuideachta.'

" Rinne. Sé huaire i ndiaidh a chéile thug muid léim air, agus an seiseadh huair chuaigh sé amach idir chomhla agus ursanacha agus muidne ar mhullach ár gcinn ina dhiaidh. Bhí calcanna toite ag teacht aníos an staighre agus bladhairí ag léimnigh fá na glúine orainn ag dul síos dúinn, gach aon fhear agus a chuid piosal sínte roimhe aige ar eagla go n-imeodh siad.

" Bhí dreabhlán beag cruinn taobh thall den teach. Lig Naos búir amháin as féin agus thug muid rúide á n-ionsaí. Ach bhánaigh siad mar bheadh scata cearc ann. Leis sin tímid na saighdiúirí ar mhullach an aird agus dealramh na gréine ar a gcuid cruach.

" Shín an rása. Bhí mala romhainn agus thóg muid í mar bheadh dhá charria i dtús seilge ann, agus piléir inár ndiaidh mar bheadh clocha sneachta ann. Thug mise tús do Naos ar an ábhar go raibh eolas an cheantair aige. Thug sé a aghaidh ar an ghrian.

" Chuaigh muid síos mala agus suas mala, agus chor muid agus léim muid agus thit muid agus d'éirigh muid, go ndeachaigh an ghrian i bhfad siar uainn, agus go dtáinig nóin bheag agus deireadh an lae. Agus ansin thóg muid mala eile agus cad é atímid romhainn ach abhainn, agus í, dar leat, chomh leathan le cuan Chairlinne.

" D'ionsaigh muid í. Idir mise agus Dia go raibh sí

ocht slata má bhí sí orlach. Nuair a d'éirigh mé féin ón bhruach ba é an smaoineamh a bhí agam an rachadh an t-uisce thar mhullach mo chinn. Nuair a tháinig mé anuas ar an taobh eile d'imigh an bruach as faoi mo chosa, ach cheap mé mé féin. Shíl mé go ndeachaigh cnámh mo dhá lorga suas tríd mo phutóga. Nuair a d'amharc mé thart bhí Naos ag mo thaobh.

" ' Féadaimid siúl ar ár suaimhneas anois,' ar seisean.

" Bhí seanduine ina sheasamh taobh thall dínn agus a ucht le claí. ' Má chonaic mé aon léim riamh a bhí inchurtha le bhur léim !' ar seisean.

" ' Ba bheag an dochar dúinn,' arsa Naos Ó hEacháin, ' bhí ar sáith de rúide linn.'

" Scar mise agus Naos an lá sin, agus ní fhaca mé ní ba mhó é."

" Ba mhaith an léim í, go dearfa," arsa an chuideachta, " agus má ba táire an rúide !"

" Léim a chaill sa deireadh é, mar Naos," arsa an Beirneach Mór. " Ach ní hé sin mo scéalsa ach scéal fir eile," ar seisean go bródúil.

Thost an chuideachta ar feadh tamaill. Thóg an Beirneach Mór a cheann.

" Níor bhlais mé a dhath riamh a ba seirbhe ná leann gan chomhrá," ar seisean. " A Pheadair Uí Dhoirnín, bhí tusa filiúnta riamh."

" Ó d'iarr tú orm é," arsa Peadar. " Dúiseoidh mé lá atá ina chodladh le fada.

A chiúinbhean tséimh na gcuachann péarlach
Gluais liom féin ar ball beag
Nuair a bhéas uaisle is cléir is tuataí i néal
Ina suan faoi éadaí bána. . . ."

" Ná raibh an fad sin de thinneas bliana ort !" arsa an chuideachta. " Is beag atá inchurtha leis an fhilíocht."

" Ar Pheaitsí Ó Deacair a chuid den tseanchas anois," arsa an Beirneach Mór.

Tháinig gruaim ar Pheadar Ó Doirnín. Shílfeá gur ag iarraidh a aimhleas a dhéanamh leis a bhí Séamas. Ach ní tháinig gruaim ar bith ar Pheaitsí. Rinne sé gáire leamh a raibh crith air mar bheadh sé idir shúgradh agus dáiríre leis féin.

" Hí, hí, hí!" ar seisean. " Inseoidh mise scéal daoibh."

Tháinig dreach urchóideach, droch-chroítheach air, tháinig chomh soiléir agus thig bladhaire ar choinneal, agus d'imigh sí ansin agus tháinig dreach brónach duibheagánach air. Dar le Peadar Ó Doirnín go raibh cuid den tuiscint dhomhain aige nach mbíonn ach ag corrfhear, agus d'ainneoin an tsaoil mhóir go raibh sé ina fhile agus ina laoch.

" Fada ó shin," ar seisean, " nuair a briseadh ar ár n-aithreacha ag an Bhóinn, bhí buachaill óg as an Ghlasdromán sa ruaig, agus d'éirigh leis an baile a bhaint amach slán. Brian Óg Ó hAnluain ab ainm dó. Bhí sé tamall ag dul thart ar a sheachnadh. Ach bhí fear san áit a raibh Dargán Bacach air, agus rinne sé scéala air agus beireadh air. Lá aonaigh a bhí ann an lá a beireadh air, agus bhí Dargán Bacach ag amharc air nuair a tharraing na saighdiúirí amach é as faoi mholl cocháin ar lafta, an áit a raibh sé i bhfolach. Bhí fuil air, an áit ar polladh le barr baignéide é nuair a bhí siad ag cuartú an chocháin.

" Ní dhearna sin maith do Dhargán Bhacach, ach an lá a bhíothas á chrochadh chaithfeadh sé a bheith ansin ag amharc air. Nuair a tháinig an buachaill óg amach ar an scafall agus cuireadh an sealán fána mhuineál d'amharc sé amach ar an chruinniú agus chonaic sé Dargán Bacach. D'amharc an bheirt idir an dá shúil ar a chéile, agus leis sin teannadh an rópa. Dúirt an fear a bhíothas á chrochadh focail éigin sular tachtadh é, ach níor thuig aon duine iad ach fear amháin, agus ba sin Dargán Bacach. Chuaigh sé do leataobh agus chuaigh sé chun an bhaile leis féin agus na focail sin ina chluasa :

" ' Bhí tusa ag mo chrochadhsa, agus beidh mise ar do chrochadhsa.'

" Bhí Dargán ina chónaí leis féin. Níorbh fhear cairdiúil riamh é, ach b'amhlaidh a ba lú a chairde nuair a chuaigh sé amach air go ndearna sé spíodóireacht. Ach ba chuma leis fán bheo, ba roimh na mairbh a bhí an eagla air. Nuair atíodh sé dorchadas na hoíche ag tarraingt air lasadh sé solas, agus ní ligeadh sé an solas sin as go dtaradh solas na gréine isteach ar an fhuinneog. Dá ligeadh madadh glam as féin nó dá ndéanadh beathach bó casachtach nó dá gcluineadh sé fuaim sa ghaoth nach raibh intuigthe, léimeadh a chroí agus thigeadh an t-allas fuar amach ar chlár a éadain. Bhí sé ar an dóigh seo go ndeachaigh blianta thart, agus ní dhearna sé dearmad riamh den chaint a dúirt an fear a bhí an rópa a thachtadh leis.

" Oíche Shamhna amháin tháinig an oíche gaoithe móire ba mhillteanaí dá dtáinig le cuimhne na ndaoine. Bhí Dargán Bacach ina shuí leis féin mar bhí riamh, agus é ag éisteacht leis an éagaoin agus an osnaíl a bhí ag an ghaoth mhór. In amanna d'éiríodh an luaith tríd an teach, agus in amanna théadh na taobháin a ghliúrascnaigh nuair a thigeadh séideán láidir. Dar le Dargán go raibh an slua sí amuigh uilig an oíche sin agus iad ag cur cogaidh ar an domhan. Bhí na boltaí ar an dá dhoras aige agus é ina shuí agus a dhroim leis an bhac, ar eagla go dtiocfadh neach ar bith isteach gan fhios dó.

" Bhí giota de rópa ar bhun an urláir, agus spléachadh amháin dá dtug sé air dar leis go raibh sé ag caismirnigh mar bheadh eascann ann. Choimhéad sé ansin é. Thosaigh smaointe scáfara a theacht tríd a cheann. Dar leis, chrochfadh an rópa sin fear. Thug sé iarraidh ansin a shúil a thógáil de, ach ní thiocfadh leis. Leis sin tháinig séideán gaoithe a d'oscail an doras agus a chuir as an solas.

" Agus chonaic sé an fear ina sheasamh ar bhun an urláir, agus é ceanntárnocht agus lorg an rópa ar a mhuineál. Ba é Brian Óg Ó hAnluain a bhí ann. Níor labhair sé ach a lámh a shíneadh chuig an rópa.

" D'éirigh Dargán agus bheir sé ar an rópa. Shín an taibhse a lámh chuig an tábla. Bheir Dargán ar an tábla agus chuir sé i lár an urláir é. Shín an taibhse a lámh chuig an chúpla. Chuir Dargán dul ar an rópa agus cheangal sé an ceann eile de den chúpla.

" Rinne an taibhse comhartha lena láimh ar a mhuineál, agus chuir Dargán a cheann isteach sa dul. Shín an taibhse a lámh arís chuig an tábla, agus thug Dargán a chos don tábla agus chaith sé as faoi é.

" Fuarthas ar maidin an lá arna mhárach é. Thug daoine faoi deara an ceann den teach, agus tharraing siad air. Ní raibh fágtha idir an t-urlár agus an spéir ach an cúpla agus corp Dhargáin Bhacaigh crochta as agus é ag longadán anonn agus anall."

Shílfeá go bhfaca Peaitsí é féin an corp, leis an amharc a tháinig ina dhá shúil. Rinne sé gáire nach raibh nádúrtha agus d'amharc sé thart ar na fir, agus iad uilig agus cuma scáfar orthu.

" Tá mo sháith den scéalaíocht agamsa anocht," arsa Peadar Ó Doirnín, agus shiúil sé amach ar an doras.

" Tá agus againne," arsa na fir eile, agus d'imigh siad chun an bhaile.

" Nach mór do dheifir?" arsa Séamas Mac Murchaidh le Peadar Ó Doirnín, ag tóin an tí.

" Ní mó é ná an tsiocair," arsa Peadar Ó Doirnín. " An síleann tú go bhfanfainn sa teach sin i ndiaidh a leithéid de scéal a chluinstin?"

" Pleóid air féin is ar a scéal," arsa an Beirneach Mór. " Chuireadh sé mo chuid fola is feola tríd a chéile ach gurb é gurb é Peatsí é. Ach níor shíl mé a dhath riamh de."

" Is é an chontúirt is mó atá ortsa, go sílfidh tú, cionn is daoine a bheith éagothrom go bhfuil dhá cheann na cinnúinte éagothrom. D'fhéadfadh leithéid Pheaitsí do chreach a dhéanamh."

" Nach agam atá a fhios sin! Ach gurb é go gcoinním smacht air scriosfadh sé mé. Ach ní dhéanfaidh sé aon loit mhór lena scéal."

" Tá an fhilíocht mar an tuar cheatha a thig roimh an fhearthainn," arsa Peadar Ó Doirnín. " Níor chuala mé scéalaíocht riamh nach gcuirfeadh an saol léi. Dearc ar an dóigh a bhfuil an cine daonna fá smacht ag na briathra. Chuala tú trácht ar na gníomhartha a rinne Clanna Néill. Is dóigh liomsa nach ndéanfadh siad iad ach gurb é go raibh scéalta á n-insint ar Chúchulainn rompu. Aisling file a rinne lá Bhéal an Átha Buí. Agus má thig an lá ar Éirinn choíche nach mbíonn filí aici, is é a deireadh é. Bocht fann agus mar táimid, ar shiúl mar bhacaigh ó theallach go teallach, tá filí in Éirinn go fóill, ó thuaidh agus ó dheas. Agus rachaidh Clanna Gael arís i gcomhrac leis an namhaid dá thairbhe sin. Ach má thig an lá choíche orainn nach mbíonn filí ar bith againn, agus bíonn eagla orm fiche uair, nó tá áiteanna in Éirinn a bhfuil an Ghaeilge ag fáil bháis, má thig an lá sin choíche orainn, ní dhéanfaidh fear ar bith éacht, mura scaoile sé urchar critheaglach as cúl claí. Tiocfaidh meath ar na daoine, agus caillfidh siad tuiscint ar an fhírinne. Beidh Éire ina céad cuid agus gach aon chuid ag briseadh a croí ag iarraidh a theacht i dtír ar an lochtaíl."

" Is iontach an aigne atá agat," arsa an Beirneach Mór. " Tá eagla orm nach dtig liomsa a dhul chomh domhain sin. Agus an síleann tú go gcuirfidh gníomh Pheaitsí lena scéal?"

" Tá daoine nach gcuireann lena gcinniúint," arsa Peadar Ó Doirnín. " Tá formhór an tsaoil agus ní tháinig an t-anam i méadaíocht riamh iontu. Tá siad ar slabhra ag tráth bídh agus ag trí nó ceathair de chomharsanna. Ach an chuid seo a bhfuil an drithleog iontu, agus bíodh a fhios agat gur duine acu Peaitsí, ní loisceann siad uilig go deireadh. Tá mé ag breathnú ar Pheaitsí anois le blianta, agus tá mé ag meas go gcuireann a chuid fuaicht féin as é go minic, agus go ndeargann sé arís. Dá maireadh sé mar a bhí sé anocht, nuair a bhí sé ag insint an scéil sin, níor mhaith liom a bheith fá sheacht ngleann sléibhe de. Ach rachaidh sé as, mura bhfadaí tusa arís é."

" Ní miste liom é luaith a dhéanamh de féin," arsa an Beirneach Mór. " Ní hair atá m'iúl. Tá mé in achrann iontach."

" Nár shíl mé gur réitigh muid an gréasán sin?" arsa Peadar Ó Doirnín.

" Ní dhearna tú ach snaidhm amháin a bhaint de," arsa Séamas. " Tá bean eile i gCarn Eallaigh."

" Má tá féin, cad é an dochar?"

" D'fhág mé namhaid i mo dhiaidh i gCarn Eallaigh an lá deireanach a bhí mé ansin. Bhí sé ag ól anocht in mo chuideachta."

" Cé acu?"

" Airtsí. Fear na leathshúile. Dhéanfaidh sé scéala orm."

" Agus cad é ansin?"

" Tá saighdiúir i ndiaidh na girsí seo. Agus má gheibh sí mise fabhtach, beidh an lá leis an tsaighdiúir."

" Tím, tím," arsa Peadar Ó Doirnín. " Agus thug grá na contúirte agus grá na mná, más cóir a rá nach ionann an dá chuid, thug siad ort tú féin a mheascadh leis an teaghlach fealltach sin. Caith as do cheann iad, tabhair na Buachaillí Bána sa mhullach orthu, agus cuir smacht orthu."

" Tá barraíocht de na Buachaillí Bána iad féin a bhfuil a gceann sa dul. Tá aithne ag Muintir Chonaill ar mhórán acu. An dtuigeann tú, ní drochdhream Muintir Chonaill. Tá siad onórach. Ach dá gcuirfinn barraíocht meáchain ar a n-onóir, bheadh eagla orm nach n-iompródh sí é. Duine onórach an saighdiúir fosta. Ach ní inseoinn dada dó. Ach insíonn cailín óg cuid mhór don fhear a mbíonn sí ag suirí leis."

" A Shéamas Mhic Mhurchaidh, tá do chinniúint ag éirí aimhréidh. Tá eagla orm nach cabhair ar bith mise níos faide duit. Chomhairleoinn duit teach Pheaitsí Uí Dheacair a sheachaint mar sheachnaíos an luchóg an cat, agus coinneáil le teach Muintir Chonaill mar choinníos an cat leis an luchóg. Caithfidh mise a dhul mo bhealach féin."

" A Shéamais Mhic Mhurchaidh, tá do chinniúint ag thréigean?"

" Tá, faraor. Dúirt mé ar ball leat go raibh daoine a raibh cinniúint orthu, agus daoine nach raibh. Tá mo scairt féin ormsa. Tháinig sí chugam aniar ón áit a n-éiríonn an Éirne, agus ó bhruach Loch Mhic nÉin. Tá mangaire buí i gContae an Chabháin, agus tá an chuisle filíochta ann is saibhre a bhí in aon fhile ó d'imigh an Dall. Chuala mé amhrán dá chuid, agus rinne sé mo chreach. Seo ceathrú nó dhó de :

Sé mo mhilleadh go bhfuair mise léann ariamh,
Agus go ndéanfar sagart de Chathal Buí gan mhoill;
Sula dtógaidh an t-easpag a lámh os mo cheann,
Ó, go mbéinnse le Ceití fá bhruach na dtom.

Gheall tusa domhsa, agus gheall tú fá dhó
Nach ndéanfá mo mhalairt anois ná go deo;
Anois tá searbhadas m'anama ag cognadh mo chroí,
Agus is trom sin ar d'anam, a Chaitlín Triall.

" Níl siollaí míne ann, agus níl uaim ann, ach tá brón an tsaoil ann, an brón sin nach bhfuair mise greim riamh air. Tuigim é, ach ní tháinig sé liom riamh agus mé ag cumadh ceoil. Agus níl filíocht ar bith iomlán gan é. An fear a rinne sin, bhris sé ceangal de chuid an tsaoil agus fágadh san uaigneas é, agus beidh sé filiúnta go lá a bháis. An té a ghontar thar mar goineadh an duine cothrom, tá leis. Tá mise ag dul go bhfeice mé an fear seo. Ba mhaith liom fear mo bhuailte a fheiceáil, nó tá eagla orm go bhfuil deireadh le mo chuid filíochta-sa. Agus ina dhiaidh sin, níl a fhios agam—níl a fhios agam. . . ."

Bhí doimhne iontach i súile Pheadair Uí Dhoirnín agus é ag amharc ar Shéamas Mac Murchaidh. " Slán agat, a Bheirnigh Mhóir," ar seisean, agus chroith sé lámh leis. Shiúil sé coiscéim agus ansin thiontaigh sé thart.

" B'fhéidir go dtiocfadh dán eile liom, ach tá dúil agam nach dtig."

" Ó, ní thuigim thú, a Pheadair Uí Dhoirnín," arsa Séamas, " ach tá dúil agam go n-éireoidh do shiúl leat."

Scar siad ó chéile i log idir dhá mhaolchnoc. Bhí oíche réabghealaí ann, agus scáilí ina luí go leitheadach ar na clúideanna, agus léaró den chuan i bhfad amach uathu. Shiúil gach aon fhear acu suas mala. Nuair a bhí Peadar Ó Doirnín leath bealaigh suas thiontaigh sé thart. Bhí an Beirneach Mór ar mhullach an aird agus é ag siúl trasna na gealaí.

Tháinig an Beirneach Mór trasna an chnoic go teach Pheaitsí Uí Dheacair agus é buailte ina chláraí. Bhí teachtaire an mhioscais i gCarn Eallaigh roimhe. D'aithin an madadh féin é, nó tá an bhua sin ar an mhadadh, cosúil le gach rud dar cuireadh fá dhaoirse, go n-ionsaíonn sé an té a bhfuil eagla air roimhe.

"Luigh!" arsa Peaitsí as an chlúdaigh. "Tá sé gearrtha go leor!"

D'amharc an Beirneach Mór ar Pheaitsí go hiontach; agus tháinig iontas ar Pheaitsí féin fán chaint a tháinig leis. Shuigh Séamas sa chlúdaigh eile. Bhí coim na hoíche ann, agus gan de sholas sa teach ach an tine. Bhí leathdhorchadas gruama ann agus an bladhaire ag léimnigh go lag ar na ballaí.

I gceann nóiméid chnag Séamas an tábla mar ba ghnáth leis agus scairt sé ar dheoch. Ní dhearna Peaitsí ach gáire drochmheasúil a dhéanamh. Ach ar ball beag d'éirigh sé agus chuaigh sé go ceann an tí agus fuair sé buidéal agus gloine. Líon sé an gloine agus bhuail sé an buidéal síos go fearúil ar an tábla.

"Ná coigil é, a mhic," ar seisean. "An áit a dtáinig sin as tá tuilleadh."

"B'annamh leat a bheith chomh fial agus atá tú?" arsa an Beirneach Mór go grusach.

"B'annamh leatsa a bheith chomh modhúil agus atá tú anocht," arsa Peaitsí. "Bhí tú tréamanta riamh, ach is beag an boc a bheir béim síos do bharróg. B'fhéidir gur bhain tú a mhíthapa as fear éigin, agus go ndearna sé buachaill socair díot. Nó b'fhéidir gur stad na mná de dhéanamh iontas de do gháire mór agus de do chulaith ghalánta. Má stad, is é lá d'aimhleasa é, nó sin an rud ar rugadh tú fána choinne, fá choinne a bheith ag bréagadh ban amaideach le do chuid béasa. Sin an rud a dtugtar mórtas thóin gan taca air," arsa Peaitsí, agus rinne sé racht mór gáire.

Tháinig Mailí Ní Dheacair isteach i lár na cainte seo. D'amharc Séamas go gonta uirthi; d'amharc sé róghéar uirthi, agus thiontaigh sí uaidh go míshásta agus thug sí rúide a thimireacht. Ní raibh an bhean a dhath ní ba chaiúla ná an madadh.

Tháinig tuile na cainte chomh gasta agus chomh fíochmhar le Peaitsí agus gur bhain sí an anáil den Bheirneach Mór. Ní dhearna sé gáire, agus níor dhúirt sé a oiread agus focal. Chuaigh Peaitsí anonn agus shuigh sé ar an stól agus chuir sé aibhleog ar a phíopa. Tharraing sé dhó nó trí de smailceanna go sásta, ach bhí a shúil sáite sa Bheirneach Mhór agus í chomh géar le snáthaid. Thosaigh sé ar ais.

" Chonaic mise do leithéidí roimhe, agus bhí aon deireadh amháin uilig orthu. Dá mba tú Cúchulainn nó Pairthís Mac Prímh, is tú féin an duine deireanach a ba chóir a rá. Nó deir an seanfhocal gur minic a loit beathach allta beathach uasal. Agus nuair a bhuailtear do leithéid aon uair amháin, is leor é. Maraíonn a chroí féin fear an bhróid. An gcuala tú riamh scéal an phortáin agus an mhadaidh rua?"

" Ní chuala," arsa an Beirneach Mór, " agus níl mé ag iarraidh a chluinstin. Ní dhéanfadh scéalta an domhain madadh rua allta."

Tháinig smúid shearbh fá bhéal Pheaitsí. Ba sin buille go hasna. Ach b'amhlaidh ba mheasa don fhear a bhuail é; níor chóir don té tá sa taobh bualadh go trom.

" Ní huasal is ní hallta," ar seisean, " ach buaite agus caillte. Siúd is gur cuma," ar seisean, ag éirí mórintinneach mar bheadh fear a bheadh ag amharc ar an domhain ón chnoc ab airde. " Íosfaidh an chnumhóg uilig muid, uasal agus allta, an Beirneach Mór agus Peaitsí Ó Deacair. Ní fiú dúinn a bheith tormasach," ar seisean, agus ba seirbhe a mhilse ná a chuid feirge. " Ní fiú dúinn é, agus gan d'oidhreacht againn ach poll dorcha sa chréafóg. Is cuma, a dhuine. Ól suas, is cuma."

Líon sé gloine eile, agus ghlac an Beirneach uaidh é, mar bheadh sé fá gheasa aige.

" A Mhailí, cuir síos an suipéar," arsa Peaitsí.

" Fan go ndruide mé an meall seo," ar sise.

" Chan fhanaim," arsa Peaitsí. " Ba cheart don phota a bheith ar an tine le leathuair agat."

D'éirigh sí go humhal sásta. Choimhéad Peaitsí í ag cur an phota ar an tine agus níor labhair sé. Ba é Séamas Mac Murchaidh a dúirt an chéad fhocal.

" Nach suaimhneach sibh? " ar seisean.

" Táimid ag smaoineamh," arsa Peaitsí. " Níl an saol uilig ina chaint. Anois, dá mbíodh do chara breá Peadar Ó Doirnín anseo, is sibh a dhéanfadh an callán, an bheirt agaibh. Ach d'imigh Peadar. Ba leor le Peadar a bhuaireamh féin."

Baineadh léim as Séamas Mac Murchaidh.

" Cá bhfios duitse cad é an buaireamh a bhí air, a sheanchrotaigh?" ar seisean. " Nuair a ba ghruama é ba phléisiúrtha é ná thusa."

" Tá a bhuaireamh féin air ina dhiaidh sin," arsa Peaitsí. " Cé gur mór a fhocal is beag leis Peadar Ó Doirnín. Is mairg, a Dhia, nach gcastar fear orm. Gheibhim uilig gan suim iad nuair a dhearcaim orthu. Sin an rud a bheir ag smaoineamh mé. Tig Dia agus an Diabhal chuig fear nuair a bhíos sé ag smaoineamh. Ach is fíorannamh a thig fear chuige. Ní fiú fear ar bith an méid sin."

D'éirigh súile Shéamais domhain.

" Cuir na smaointe sin as do cheann," ar seisean, gan nimh nó fearg. " Is leor feabhas fir ar bith ina shúile féin."

" Cuirim na smaointe as mo cheann!" arsa Peaitsí. " Caith thusa díot do chraiceann. Is iomaí rud a mbímse ag smaoineamh air agus mé i mo shuí anseo, agus an tine ag tabhairt mo chuimhne dom. Nuair a bhí mise óg bhí eagla orm roimh an tsaol. Bhí eagla orm cionn is gur thuig mé é. Nuair a thugadh madadh glamhadh orm, agus bhagradh an fear ar leis é air, thuig mé gurbh fhada an bagar sin óna chroí. Nuair a tháinig mé i méadaíocht thug mé iarraidh bua a fháil ar an eagla sin. Thug, ar an ábhar gur fhás áilleacht agus éifeacht mór i bPeaitsí Ó Deacair idir an dá am. Ba mé rí an Domhain Thiar san am sin, agus bhí a fhios agam go gcaithfinn a dhul i láthair na codraisce, ó tharla i mo rí mé. Ach níor imigh an eagla. Phlúch mé le greann agus le gáirí í, agus bháith mé le leann agus le fíon í, ach nuair a shíl mé go raibh sí marbh fuair mé chugam mar bheadh leon craosach í. Shiúil sí an ród liom, agus nuair a shín mé mo chorp san oíche shín sí í féin síos le mo thaobh. Dúirt an saol gur bhreá an tsuáilce a bhí i bPeaitsí Ó Deacair, ach ní raibh aithne acu ar an aingeal coimhdeachta a bhí aige.

" Tá iomaí cor is lúb a chuir mé díom féin ag seachaint an taibhse sin. Fuair mé céile mná, agus d'imigh an eagla. Ach d'fhill sí orm, agus thug an bhean faoi deara í, agus bhí deireadh le mo shuaimhneas. Bhain mé céad bomainte di le hólachán, ach thigeadh sí orm nuair a ba mhó a bhíodh meisce orm. Chuaigh mé ar an turach agus bhailigh mé airgead, agus dar liom nach raibh aon phingin dá raibh mé a chruinniú nach raibh á lagú. Ach lá amháin tháinig sí arís orm chomh neartmhar agus tháinig riamh, agus ní raibh ní ba mhó áthais as an airgead orm. Bhí sé cosúil leis an airgead sí sa scéalaíocht a bhí ina bhoinn óir san oíche agus ina dhuilliúr crann ar maidin.

" Bhí mé seal i ngruaim ansin, agus gan iúl ar aon duine agam. D'fhág an eagla mé, ach ba mheasa an rud a fágadh ina háit agam. Ní raibh léaró i m'anam nó i m'intleacht. Ach fá dheireadh, tháinig tuiscint chugam. Thuig mé go gcaithfinn m'eagla a chur i láthair an tsaoil, go gcaithfinn Peaitsí Ó Deacair, mar a bhí sé, a chur i gcomhrac leo agus a gcur faoina smacht. Mura raibh mise ceart ní raibh aon duine ceart, nó ní raibh sa tsaol ach daoine, gach aon duine agus a cneá féin air.

" Rinne mé mo dhícheall. Bhuail mé daoine boga soineannta, agus daoine cneasta a bhí ar bheagán radhairc. Choinnigh mé comhrac le mo leithéidí féin agus má dhruid siad fabhra fuair mé buntáiste orthu. Déanfaidh mé an fhírinne, is iomaí uair a chuir mé an bhréag in iúl dom féin go raibh mé ní b'fhearr ná daoine eile, agus gan a ábhar agam. Ach casadh beirt orm nach raibh dul agam a mbua a fháil; tusa agus Peadar Ó Doirnín. Chuir sibh in iúl dom le tréan amaidí nach raibh i mo chiall ach díth céille. Ach tá an roth ag teacht thart. Cuirfidh mise mé féin in iúl duitse agus do Pheadar Ó Doirnín. Bhéarfaidh sibh ól na dí seirbhe orm."

Bhí tine ag teacht as cuid súl Pheaitsí agus é ag caint; bhí an fhírinne ag strócadh na hinchinne aige, ag déanamh luatha di mar níos an bladhaire den mhóin.

" Thug muid ól na dí seirbhe ort fada ó shin," arsa Séamas go socair. " Ba cheart duit dearcadh go bhfuil an domhan mór ar a dhóigh féin agus gan iúl ar d'fhearg aige."

" Níl domhan ar bith le feiceáil agam gan solas m'fheirge a bheith air," arsa Peaitsí. D'amharc sé anonn ar an choinneal a bhí ar chlár os cionn an tábla. " Ó loisc mé an choinneal loiscfidh mé an t-orlach ! "

Leis sin baineadh cliseadh as an Bheirneach Mhór

agus d'amharc sé thart go scáfar agus tharraing sé a chuid piostal. Tháinig crith ar Pheaitsí, ach fuair sé bua air féin. Rinne sé gáire.

" Há, há! An eagla atá ort? Níl a fhios agam fáth d'eagla, murar scanraigh d'anáil féin thú."

" Eagla! " arsa an Beirneach Mór, ag éirí de léim ina sheasamh. " Níor fhan sí aon nóiméad ag cogarnaigh liom riamh." Tharraing sé a chuid piostal agus chaith sé d'urchar anonn in ucht Pheaitsí iad. " Dá mb'fhéidir liom iasacht m'uchtaigh a thabhairt duit fosta dhéanfainn é! "

Bhí an bhua ag an Bheirneach Mhór an bomainte sin, má bhí sí ar aon fhear riamh. Tháinig loinnir i súile Pheaitsí a bhí geal soineannta, geanúil, nó a chóir a bheith. Chonaic sé doras na bhflaitheas oscailte, chonaic sé díth na heagla. D'éirigh sé agus d'fhág sé na piostail ar an tábla. Ach níor shín sé do Shéamas iad; tá sé deacair ag duine meánaosta an rud a bheirtear ina láimh dó a thabhairt ar ais. Shuigh sé agus thit an suaimhneas seal beag orthu. Bhí an cailín óg ina suí ag an tine ag cleiteáil, agus í go dothuisceanach. Bhí gliogar beag briosc ag na dealgáin. Dar leat go raibh siad ag cuntas an ama, mar bheadh clog ann, nó mar bheadh buille an chroí ar tomhas na fola.

An ag fanacht a bhí an bhean, go bhfaigheadh sí féin an fhaill a theacht i dtír ar laige fir éigin, mar is dual do bhean? Bhí sí cosúil le neach a mbeadh rún aici agus urchóid an tsaoil inti, ina suí ansin mar bheadh cat ag cur i gcéill nach bhfaca sí an t-éan a bhí taobh thall de. Ach ní raibh áilleacht fhiáin nádúrtha an chait inti, ach nós chuma liom gonta mar a bhíos i ngach duine a théid i bhfad i gcomhrac an tsaoil.

Ansin mhill an Beirneach Mór é féin leis an dara focal.

" Éirigh, a mharla," arsa seisean, " agus tabhair

buidéal eile chugam, sa dóigh nach mbíonn sé d'fhiacha orm bheith ag amharc ort."

Bhí a oiread teanna leis an chaint agus go ndeachaigh Peaitsí go bun an urláir sular cheap sé é féin. Ansin tháinig an drochnéal arís air.

" Tabhair buidéal eile chuige," ar seisean leis an iníon.

D'éirigh an cailín agus chuaigh sí chun an tseomra. D'imigh an urchóid as gnúis Pheaitsí. Sheasaigh sé ar bhun an urláir mar bheadh fear ann idir dhá chomhairle.

" Níl a fhios agam cá leis a bhfuil an oíche cosúil," ar seisean, agus d'fhoscail sé an doras. Ní thug aon duine aird ar a chuid cainte.

Thug Mailí an buidéal chuig Séamas.

" Suigh ar mo ghlún, a Mhailí," ar seisean.

Shuigh. Cibé acu a chuaigh an ócáid thar a tuiscint, nó chuaigh a cuid fill chun mearaithe, níor cheil sí a grá air. Shuigh sí ar a ghlún agus a lámh fána com. Ach ní raibh beocht ar bith inti.

Chuaigh Peaitsí síos cois an bhalla trí nó ceathair de choiscéimeanna, agus d'éirigh toirt dhubh amach as cruach na móna ina araicis. Bhog Peaitsí a sciathán go cianach:

" Fan mar atá tú," ar seisean. " Nár dhúirt mé leat, nuair a rachadh an choinneal as? "

Shocair an toirt isteach i gcruach na móna arís.

D'éirigh Mailí de léim de ghlún Shéamais nuair a mhothaigh sí bróg a hathar ar lic an dorais.

Tháinig Peaitsí isteach. Thug an tsúil ab fhaichillí agus a ba chontúirtí a thug aon duine riamh ar dhuine eile, thug sé ar an Bheirneach Mhór í. Bhí sé fadálach ag drud an dorais, mar bheadh sé ag déanamh a dhíchill ag troid leis an driopás. Ansin thug sé dhá choiscéim dhaingeana suas an t-urlár.

Bhí an Beirneach Mór ag éirí amaideach an t-am seo. Thosaigh sé a ghabháil cheoil:

" Chuaigh mé isteach i dteach aréir
Agus d'iarr mé cárta ar bhean a' leanna . . ."

Damnú ort, a Pheaitsí, cuidigh liom. Ach níl de ghuth agat ach oiread le cearc. Dá mbíodh Peadar Ó Doirnín anseo, bhainfimis macalla as na creataí . . . Duine aisteach Peadar Ó Doirnín. Is é an fear é is doimhne agus is filiúnta dar casadh riamh orm. An bhfuil a fhios agat cad é an bharúil atá ag Peadar Ó Doirnín díotsa, a Pheaitsí? Deir sé gur sean-seangán beag thú nach dtáinig in éifeacht riamh—— "

Mhuscail an chaint seo Peaitsí go dtí an deor a ba doimhne ina chroí.

" Ná bac leis sin, a Shéamais a rún! " ar seisean, agus glór an chaointe ina cheann. " Tá mé mar rinne Dia mé."

" Tá!" arsa Séamas. " Tá mise agus tusa mar rinne Dia muid. Is cuma, a Pheaitsí. Mhill mise mo shaol, a Pheaitsí. Tá sé ag imeacht ina cheo. Ólfaimid braon eile, a Pheaitsí." Chuir sé braon sa ghloine agus dhoirt sé steall mhór. " Seo dhuit, a Pheaitsí, níl tú ag déanamh maith."

Chrap Peaitsí a lámh uaidh mar bheadh nimh air.

" Ólfaidh mé féin é. Gloine eile agus amhrán eile, agus beidh an saol a fhad ar aghaidh amárach agus atá sé inniu. An bhfuil a fhios agat, a Pheaitsí, cad é atá mé ag gabháil a rá leat? Bráithre uilig muid. Tá droch-mheas againn ar thábhacht shuarach an tsaoil. Mura gcaithe tú an saol, tá tú i mbaol a fhágtha? 'Dom do lámh, a Pheaitsí. A Pheaitsí, dá mbíodh an aithne agatsa ar Pheadar Ó Doirnín atá agamsa air! Rí na bhfilí agus rí na bhfear. A Pheaitsí, an bhfuil a fhios agatsa ' Úr-

Chnoc Chéin Mhic Cáinte'? Tá na focla tríd mo cheannsa. 'Dom gloine eile."

Lig sé amach lámh Pheaitsí agus rith Peaitsí uaidh. Bheir sé ar an bhuidéal agus líon sé an gloine. Chaith sé siar a leath. " Cá bhfuil an buidéal sin, a Pheaitsí? " ar seisean. Bheir sé ar an bhuidéal agus chuir sé a scóig faoi, os cionn an ghloine. " Tá sé folamh! " ar seisean, agus greim sliopach aige air. " Tá sé folamh."

Leis sin thit an buidéal as a mhéara agus rinneadh giotaí ar na leaca de. Agus thit ceann an Bheirnigh Mhóir ar a ucht. Tháinig cupla focal uaidh anois agus arís, agus ansin thit sé ina chodladh.

" Go bhfóire Dia ar an té a gheibh an buille deireanach," arsa Peaitsí agus chuir sé séideog ar an choinneal.

D'éirigh an bhean agus chuaigh sí amach agus thug sí a cúl leis an doras. Bhí náire uirthi, mar an náire a tháinig ar Éabha sa gharraí. Ní raibh solas ar bith sa teach ach solas na tine, agus bhí toirt mhór i Séamas agus a cheann agus a dhá sciathán leagtha ar an tábla aige, agus é ina chodladh; agus ní raibh Peaitsí róshoiléir agus é ag cuartú i gceann an tí. Léim bladhaire ar an tine agus nocht sé pictiúir an tSlánaitheora ar an taobhbhalla agus an Choróin Spíona agus deora fola as na dealga.

Bhí na saighdiúirí fadálach ag teacht, mar bheadh siad ag tabhairt faille do phian an tamaill sin. Tháinig siad isteach ansin ina dtuile. Tháinig Peaitsí rompu agus rópa leis. Ach chuir an fear tosaigh do leataobh é. Chuaigh sé anonn agus thóg sé an gloine agus d'amharc sé air. Chroith sé gualainn an Bheirnigh Mhóir.

" Is fearr é a cheangal," arsa Peaitsí go scáfar. Ach bhuail saighdiúir tríd an bhéal é agus thit an rópa as a láimh.

Bheir siad ar an fhear meisce agus streachail siad leo

é. Bhí cineál de thruaighe ina ndreach. Ach ní raibh lámh nó cos air, agus b'éigean dóibh é a iongabháil go garbh. Má ghortaigh siad é níorbh orthu a bhí an locht uilig ach ar an tsaol, nó níorbh fheasach dóibh a phian. Fá dheireadh bhuail fear amháin le barr a choise é, agus thug sé ciall namhad ar ais dóibh. Chuaigh an clibín amach.

Bhí socair fán teach agus na saighdiúirí ar an bhealach nuair a cluineadh scread ón phríosúnach. " Ó, a Dhia, dhíol siad mé! " ar seisean, agus tháinig an scairt sin isteach sa teach chuig Peaitsí agus chuig a iníon chomh géar le scian. An madadh nár thóg a shiúl leis na saighdiúirí, bhog an scread sin é, agus lig sé glam as féin a bhí a chóir a bheith chomh soiléir le caint a thiocfadh ó choinsias duine.

3. *Peadar Ó Doirnín*

Nuair phill Peadar Ó Doirnín as Contae an Chabháin bhí brón eile ar iompar leis le cois a bhróin féin. Casadh Cathal Buí air, fear a bhí briste ina lár, mar bheadh fear a dtitfeadh creig air, agus nach mbeadh áilleacht ar bith ag nochtadh as faoi an chreig ach loinnir a dhá shúil, nach mbeadh lúth ná éifeacht fágtha ann ach binneas a theanga. Ach ba leor an teanga sin:

> Ní hiad bhur n-éanlaith atá mé dh'éagaoin,
> An chuach, an chéirseach nó an chorr bhreac,
> Ach mo bhonnán buí a bhí lán de chroí,
> 'S gur chosúil liom féin a shnua 's a dhreach. . . .
>
> Nach bhfeiceann sibh éan an phíobáin réidh,
> Mar chuaigh sé dh'éag leis an tart ar ball?
> A chomharsana chléibh, fliuchaigí bhur mbéal,
> Nó ní bhfaighidh sibh braon i ndiaidh bhur mbáis.

Nuair a ba doimhne a bhogadh an tallann é, deireadh Peadar leis féin go mb'fhiú a bheith briste ar mhaithe leis an fhilíocht sin.

Tháinig aimhleas Shéamais Mhic Mhurchaidh go tobann air, cé gurbh fhada ag dúil leis é. Bhí sé ag dúil leis a oiread agus gur chuir a dhóchas go hathlá é. D'inis sé dó féin nár bhaol do Shéamas, agus d'inis sé an bhréag dó féin. Nuair a tháinig an fhírinne de léim air, bhí sé mar bheadh sé féin ina chiontaí leis an aimhleas.

Tigh Bhriain Mhic Cuarta in Ó Méith a bhí sé nuair a chuala sé an scéal. Chruinnigh an brón ina chnap ar tús, agus focal ar bith dá n-abradh aon duine sa teach ba mhaith leis é. Ach ar ball beag thosaigh a gcuid cainte a ghoilliúint air. Bhí sí rómharbh; bhí sí rófhada ón bhuaireamh. Agus dar leat go raibh muintir an tí á thuiscint sin, ach an seanduine féin, agus bhí seisean ró-aosta agus ró-dhobhránta, agus ní thostfadh sé. Fá dheireadh d'éirigh Peadar Ó Doirnín agus shiúil sé amach, gan focal a rá a tharraingeodh comóradh air.

Chuaigh sé suas os cionn an tí. Bhí sólás sa fhraoch a chonaic sé ina dhosanna garbha dúghlasa ar gach taobh de. Nár thrua gan é ina fhraoch! Nár thrua gan é ar thaobh an tsléibhe agus pian an chine daonna ceilte air! Bhog cnap an bhróin. Bhí sé mar bheadh stopallán a ligfí. Tig na deora le formhór na ndaoine nuair a bhriseas tocht. Daoine eile a labhras. Tháinig filíocht le Peadar Ó Doirnín:

> Is trua gan mé 'mo fhraochóig ar thaobh mala
> shléibhe.

Agus an dá luas agus dúirt sé seo go hard tháinig uabhar air. B'fhada ó rinne sé aon rann a bhí inchurtha leis. D'aithris sé í gur fhadaigh sí an intinn aige, go dtí gur fhaibhir rann eile sa teas:

Is trua gan mé 'mo fhraochóig ar thaobh mala
shléibhe
Nó mar ghas raithní os coinne an ghath gréine.

Agus ar ball beag tháinig an tríú ceann chuige, agus an ceathrú ceann :

Nó mar londubh agus mo cheann liom go Coillidh
Dhún Réimhe
'S go marbhann na ballaí mé atá 'dalladh na spéire.

Agus thuig sé ansin cérbh é údar a amhráin. A Dhia, ba é Séamas Mac Murchaidh é. Ba é a chuid fola a cheannaigh an fhilíocht seo. A Dhia, an raibh sé ceart an margadh a dhéanamh? Bheadh an dán iontach. Ach, faraor! nár díoladh an Beirneach Mór faoina luach?

Agus ansin thosaigh an file ar thús an amhráin :

A Shéamais Mhic Murchaidh, a chaoin-mharcaigh
uasail,
A phlanda den fhíorthreibh a shíolraigh ó uaisle;
Is cosúil nach gcuala tú go raibh do ghaolta dá
ruagadh,
Nuair nár éalaigh tú san oíche sular díoladh faoi
do luach thú!

Ba mhaith sin, ach dá fheabhas é bhí sé ró-lag ag an mhothú a bhí ar an fhile. Ba choscraí Séamas é féin ag caint :

Tá mé inniu in Ard Mhacha 'gus is fuar liom mo
ghéibheann,
Siad mo chomharsa lucht mo chéasta agus is nimh
liom a bpléisiúr;
Ní thuigeann siad mo chanúint 's ní labhraim leo
Béarla;

Sí m'ansacht an bhean dubh atá i ngleanntán an
tsléibhe.

Ansin a ceapadh an file. Ní sásta go hiomlán a bhí sé leis an cheathrú dheireanach. Ach mura raibh sí gan locht féin, ní raibh dul aige a macasamhail féin eile a chur léi. Shuigh sé síos ar an tsliabh, agus d'imigh a intinn ar seachrán i ndoimhneacht an tsaoil mhóir. Chuaigh a shúil ar fud an ghleanna agus chonaic sé an clapsholas ag teacht mar bheadh anáil na ré dorcha ann, ach ní thug sé dada ina cheann. Ach ar ball beag chrom sé síos agus chonaic sé ciaróg ar leac. Bhí a corp brúite ó lár an droma siar agus ina dhiaidh sin bhí sí beo go fóill agus bhí sí ag siúl. Bhreathnaigh Peadar Ó Doirnín an fhrigh gur thuig sé cad é méid an leatroma a bhí uirthi. Ní raibh ceart ag aon duine beag a dhéanamh den chiaróg. Bhí a pian chomh leitheadach le dhá cheann na spéire.

Agus ansin bhuail smaoineamh é fá Mhailí Ní Dheacair. Má bhí duine ar bith ar ghoill an bás seo air ghoill sé uirthise. Bhí sí gonta roimh an aimhleas. Bhí sí ina cúis leis an aimhleas, agus ba sin gonta athuair í. Bhí cumha i ndiaidh an fhir a fágadh uirthi, agus ba sin gonta an tríú huair í. Ba é a brón an brón a ba troime, gan bhréig. Chaithfeadh sólás agus maithiúnas a bheith ag fanacht léi in áit éigin. Ach ní raibh dul aige iad a fheiceáil. Shíl sé go n-éireodh ballóg an chloiginn de ag iarraidh a ceart. Níor cailleadh aon anam riamh gan radharc ar neamh a fháil daite dó. Bhí Peadar Ó Doirnín i gcruachás. Nár bheag an mhaith cuid fola an Bheirnigh Mhóir mura dtigeadh leis-sean a fuair a luach, mura dtigeadh leis an fhuascailt seo a dhéanamh? Agus ansin tháinig dealramh chuige agus chuir sé lúcháir ar a chroí:

A Mhailí mhín mhodhmhar, má d'ordaigh tú an
bás dom,
Triall chun mo thórraimh agus cóirigh faoi chlár
mé;
Más mian leat mo phósadh, agus mo chroí-sa a
bheith ar láimh leat,
Fill arís is tabhair póg dom 's beidh do chroí go
lánsásta.

Ba mhaith sin. Bhí tarrtháil tugtha uirthi. Bhí na snaidhmeanna á scaoileadh, agus ba ghairid go mbeadh deireadh leis an dán. Ach an t-am seo bhuail eagla agus leatrom millteanach é, agus bhí a aigne mar bheadh an fharraige an oíche a ba duibhe agus a ba doineannta dá dtáinig riamh. Bhí a neart á chriathrú agus á ghortú go dtí go dtabharfadh sé a sheal saolta ar a bheith mar a bhí sé sular thosaigh sé ar an amhrán. D'imigh sé ar fud an tsléibhe, agus ní fhóirfeadh fianaise dhaonna a bheith ar an tseachrán a bhí air, ach amháin blár fiáin na gcnoc agus domhainuaigneas na hoíche.

Agus níor bhac neach leis, mura ligeadh éan fead cianach as, nó mura dtigeadh tallann tobann ar an ghaoth. Thug a chéadfaí cúl don domhan agus thochail siad a mhéin agus a shaol agus a mhianta gur nocht siad iontais nár shamhail sé a bheith ar chor ar bith aige. Smaoin sé ar an lá a thit sé sa tobar nuair a bhí sé i gceann a thrí mblian, agus an airde a bhí sa dá bhruach os a chionn mar bheadh beanna móra cladaigh ann. Smaoin sé ar sheanbhean bhocht a chonaic sé agus é tuirseach gruama teacht na hoíche; bhí sí ag caint léi féin agus ag mallachtaigh. Mhothaigh sé ceol brónach i bhfad uaidh, mar bheadh neach den tslua sí i bpian, agus níor léir dó cá huair nó cá háit a casadh an chuimhne seo dó.

Chuala sé clog glinn i mbaile i gCúige Mumhan,

teacht na hoíche agus é ag tarraingt isteach air, agus suaimhneas ina aigne. Chuimhnigh sé ar dhreach fear a bhí cruinn i dteach tábhairne in áit éigin, agus nach raibh fáilte ar bith acu roimhe féin nuair a tháinig sé isteach. Chonaic sé gamhain óg ag aoibheall. Tháinig náire air as na samhailteacha a bhí ag teacht tríd a cheann, bhí siad chomh hamaideach sin. Agus fá dheireadh fágadh a intinn folamh ar fad. Ach bhí sí iontach beo. Ní raibh a fhios aige cá fhad a chaith sé ag cuartú eolais éigin i nduibheagán a chroí. Uair amháin thug sé faoi deara an ghealach ina rith trasna mhullach na gcnoc, agus smaoin sé go mb'éigean don oíche a bheith ag dul thart. Fá dheireadh thuig sé cad é an dóigh a bhí ar a intinn. Bhí sé cosúil leis an chéad uair riamh a thuig sé: " Mise Peadar Ó Doirnín! Mise mé féin! Nach iontach agus nach scáfar an rud é!" Bhí sé ar fhíoríochtar na fírinne. Cad é a bhí faoi, dar leis? Ní raibh dada ach an bás. Rud dall gan dreach a bhí sa bhás. Ní thiocfadh le file ciall nó binneas a bhaint as. Cá raibh Séamas Mac Murchaidh sa ré dhorcha sin? Cad chuige nach raibh Séamas socair, mar bhí na coirp sin a bhí i reilig Chillidh Chaim? Arbh fhíor go raibh anam i ngach aon duine, agus cad chuige nár léir dó ach anam corrdhuine? Abhus anseo ar an tsliabh, ba léir dó an cine daonna, dá mbíodh a radharc neartmhar go leor. Bhí siad uilig ag imeacht le sruth an tsaoil, amach ar mhuir na síoraíochta, agus a nglórtha á gcailleadh. Má bhí anam iontu uilig, níorbh ionann neart a bhí i ngach anam. Nach ndeachaigh na mílte tórramh chun na cille, agus cónair ar maidí leo, agus nárbh é a dheireadh é ag an té a fágadh! Monuar, gan fear amháin a dtiocfadh a ghlór tríd gheataí na síoraíochta chuig an mhuintir a raibh an t-uaigneas fá chois na tine acu! Ach níor de dhlí na síoraíochta a leithéid! Dá mb'fhéidir labhairt, labharfadh Séamas Dall Mac Cuarta:

Caesar is Alasdram do ghabh neart
Ó éirí go stad don ghréin;
Solamh, Samson, fiafraím díbh,
Cé tháinig dhíobh ar ais ón éag?

Má bhí glór ró-lag ag an té a chan sin, cé aige a mbeadh dóchas? Agus ina dhiaidh sin bhí míshásamh éigin ar Shéamas Mac Murchaidh thall ansin, bhí sé ag meabhrú go fóill nach raibh deireadh leis. D'éirigh Peadar Ó Doirnín chomh cruaidh le creig agus ansin mhaothaigh sé. Bhog sé a sciathán go huasal, ina sheasamh ar chreig ar mhala shléibhe, agus tháinig an tuile dheireanach fhilíochta leis:

Triallfaidh mo thórramh tráthnóna Dé hAoine,
'Gus ar maidin Dé Domhnaigh fríd na bóithre gos íseal;
Tiocfaidh Neillí agus Máire agus ógmhná na tíre,
'Gus beidh mé ag éisteacht lena nglórtha faoi na fóide is mé sínte.

Tháinig tocht millteanach bróid air ar feadh tamaill as an éifeacht a bhí déanta aige. Ní bheadh sé le rá go brách arís nach raibh aige ach binneas focal agus aoibhneas aigne. Agus ansin tháinig an brón air. An brón is measa ná cumha na gcarad, agus ná aithreachas an pheacaigh—brón an fhile. Brón an té atá ina luaith i ndiaidh a éachta mar an ghual nuair a éagas an bladhaire. Chaill sé a bhrí agus shuigh sé i lár an uaignis.

Bhí solas na maidine ag filleadh ar an domhan go fann formhothaithe. Bhí fraoch agus craobhacha an tsléibhe ar crith mar bheadh siad fuar. Ní raibh áthas ar bith le feiceáil go dtí gur nocht an dearg san dá néal thoir. Agus nuair a tháinig an ghrian aníos, bhí Peadar Ó Doirnín ina luí ina chodladh i mBearna Mhéibhe mar bheadh gaiscíoch tuirseach ar a sciath.

CEOL NA CROICHE

Here also, as at Thebes, and in Pelop's line, was material fate matched against man's free will; matched in bitterest though obscure duel; and the ethereal soul sank not, even in its blindness, without a cry which survived it.—Carlyle.

Cuireadh a dhó nó trí leaganacha de *Shéamas Mac Murchaidh* i bprionta ar an *Ultach*; ach níl cuma air go bhfuil sé le fáil go beacht anois in áit ar bith. Tá línte dothuigthe ann, agus línte eile a bhfuil an mheadaracht éagothrom iontu: séala gach aon bhoc agus gach aon chasadh dá bhfuair sé i mbéal na ndaoine le bunús dhá chéad bliain. Fuair iomrá an údair an choscairt chéanna ach, de réir mar a thig linn a mheas inniu, bhí saol mór filiúnta aige, an bás agus an grá agus saint an tsaoil seo uilig ag déanamh a gcuid féin den achrann a d'fhág Séamas ar chrann na croiche in Ard Mhacha.

Bheir *Séamas Mac Murchaidh* i mo cheann amhrán a rinne Burns: *Macpherson's Farewell.* Féadann tú a rá gurb é an t-ábhar céanna filíochta a bhí ag an dá fhile. Gael de chuid na hAlban a bhí teilgthe chun a chrochta ag dlí na Sasana a rinne an fonn atá leis an amhrán deireanach seo. Is dóiche go bhfuil focail leis i nGaeilge na hAlban ach, má tá, is é mo chaill nár casadh orm go fóill iad. Ar scor ar bith, féadaidh sé go dtug Burns spiorad an cheoil dúinn maith go leor. Agus deir scéal amháin gur nuair a bhí an chroch in airde ag na Gaill in Ard Mhacha, agus Séamas Mac Murchaidh réidh le crochadh uirthi, a thosaigh sé ar an amhrán seo is coscraí, b'fhéidir, dá bhfuil againn ón aois sin.

Má tá Burns ag cur na fírinne ar an Albanach, tá sé féin agus an tÉireannach cosúil le chéile. Ní bheifeá ag súil le fear de rása ar bith eile daoine, ach an rása ar de an bheirt, a dhul i láthair an bháis ag filíocht. Ach ní hionann a amharcas an péire ar an bhás. Tá an tAlbanach níos fiáine, níos deise don phágántacht. Mire agus fearg atá air a bheith ag imeacht ón tsaol seo ar dhóigh chomh tútach, ní eagla roimh an éag ná cumha ag fágáil a mhuintire:

I've lived a life of sturt and strife,
I die by treachery.
It burns my heart I must depart
And not avenged be.

Le tréan drochmheasa ar an bhás bíonn sé ag gáirí ag dul ina láthair dó:

Sae rantingly, sae wantonly,
Sae dauntingly gaed he;
He played a spring and danced it round
Beneath the gallows-tree.

Ní hamhlaidh a théid Séamas Mac Murchaidh i láthair an bháis. Tá sé chomh daonna agus nach dtig leis gan scread choscrach a chur as. A bheith beo i gcruth ar bith ar dhroim an domhain, faoin ghréin agus faoin fhearthainn, sin a raibh sé a iarraidh:

'S trua gan mé mo fhraochóig ar thaobh mala shléibhe,
Nó mar ghas raithní os coinne an gha gréine!

Tá grá mór agus Críostúlacht mhór ann, ag gabháil go croí an léitheora le deann cumha:

> 'S a mhaighre an ghil-bhrád, is tú d'fhág m'intinn buartha.

Is cuma liom cad é a déarfas na húdair, sin an líne de fhilíocht Ghaeilge is fearr a chuala mé riamh. Tá tuile de ghrá agus de bhuaireamh agus de mhaithiúnas ann a chartódh cuid mhór den dán díreach a rinneadh i scoileanna na mbard. Níos pianmhaire arís, agus gan é b'fhéidir chomh huasal, a thig an chaint seo chugainn, aníos tríd chlár, tríd chréafóg agus tríd chlocha glasa:

> Tiocfaidh Cáit Óg Ní Dhónaill agus ógmhná na tíre
> 'S beidh mé ag éisteacht lena nglórtha faoi na fóide 's mé sínte.

Tá an dá dhán ag taispeáint dúinn an difear idir an dá thír. B'fhéidir gurb iad dlíthe na géarleanúna a rinne na Gaeil chomh tuisceanach sin, ach níl a fhios agam. Níl bás Chúchulainn féin chomh fiáin le bás an Albanaigh sin. B'fhéidir gur chuir siad an bhréag ar Mhac Phearsain, dream beag fuar bealachtach na tíre ísle a raibh an eagla riamh orthu roimh chlann an tsléibhe; ach tá an fonn le fáil agus b'fhéidir go bhfuil an fiántas sa cheol. Ach coscrann an bás an tÉireannach; coscrann sé barraíocht é, b'fhéidir. B'fhearr linn corruair, nuair a bhíos gábha cruaidh air, níos lú urnaithe a bheith ag cur as dó agus níos mó den spiorad seo a bheith ann:

> *Now farewell light, thou sunshine bright,*
> *And all beneath the sky!*
> *May coward shame disdain his name,*
> *The wretch that dare not die.*

Agus, ina dhiaidh sin, is deas linn é. Comhartha sibhialtachta agus cineáltais é. Agus ní bhímid in amhras ar chuid calmachta Shéamais Mhic Murchaidh nuair a smaoinimid ar an áit a bhí sé a fhágáil: ar bharr an Fheadáin, an áit ar choimhéad sé féin agus Mailí Ní Dheacair an ghrian ag dul síos taobh thiar den Iúr; ar Shliabh gCuilinn, an áit ar chruinnigh sé féin agus Peadar Ó Doirnín na Buachaillí Bána; ar Bheanna gormcheocha Boirche agus ar Chairlinn linnfhiaclach na long. " B'aoibhinn teacht féir agus fonn " in Ó Méith Mhara, a Shéamais, agus sealán na croiche ag gabháil fá do mhuineál, agus an dorchadas ag dlúthú do thimpeall. Duine ar bith a chonaic riamh an áit, níor náir leis thú bheith ag éagaoin, dá mbeadh flaitheas na naomh geallta duit nuair a theannfadh an dul ort.